CYMRU HOWARD MARKS

Cymru
Howard Marks

HOWARD MARKS

gydag Alun Gibbard

y Lolfa

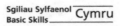

 **CYNGOR LLYFRAU CYMRU**

ISBN: 978 1847711748

Mae'r cynllun Stori Sydyn yn fenter ar y cyd rhwng Sgiliau
Sylfaenol Cymru a Chyngor Llyfrau Cymru. Ariennir y
llyfrau gan Sgiliau Sylfaenol Cymru fel rhan o Strategaeth
Genedlaethol Sgiliau Sylfaenol Cymru ar ran Llywodraeth
Cynulliad Cymru.

Argaffwyd a chyhoeddwyd gan
Y Lolfa, Talybont, Ceredigion SY24 5HE
gwefan www.ylolfa.com
e-bost ylolfa@ylolfa.com
ffôn 01970 832 304
ffacs 832782

CYNNWYS

Y DDWY GYMRU

I FI, MAE YNA ddwy Gymru. Yn gyntaf, y Gymru roeddwn am wneud popeth posib i ddianc ohoni. Cymru fy ieuenctid oedd honno yn fwy na dim. Ac yna'r Gymru rydw i wedi trio dod 'nôl i mewn iddi. Dwi wedi cael llawer o bleser yn ailddarganfod Cymru dros y blynyddoedd diwetha. Dyna'r Gymru mae dyn wrth nesu at ei saithdegau yn ei gweld yn gliriach ac yn gliriach. Dyna'r Gymru dwi am wneud fy ngorau glas i ddod 'nôl yn rhan ohoni. Stori'r ddwy Gymru, a'r daith o'r naill i'r llall sydd yn y llyfr yma.

Carchar yn America yw man cychwyn y daith. Dyna lle dechreuodd y daith yn ddaearyddol beth bynnag. Ar y pryd roeddwn yn wynebu 25 mlynedd dan glo ac wedi bod am flynyddoedd yn un o'r dynion roedd heddlu Prydain yn fwya awyddus i'w ddal. Roedd heddlu nifer o wledydd drwy'r byd wedi bod yn gweithio gyda'i gilydd i'm dal ar gyhuddiadau'n ymwneud â phrynu a gwerthu cyffuriau rhyngwladol. Yn ôl yr awdurdodau, fi oedd prif smyglwr cyffuriau'r byd. Cefais fy nal, a'm rhoi yn un o garchardai gwaetha America.

Dyna lle dechreuodd y daith i ddarganfod Cymru, pan oeddwn mor bell o Gymru fy mhlentyndod ag roedd yn bosib i mi fod. Doedd dim byd o'm cwmpas i'm hatgoffa o Gymru. Dim byd i'w weld oedd yn cynnig unrhyw gysylltiadau Cymraeg na Chymreig. Dyna fel roedd pethau'n ymddangos, beth bynnag, a hynny am amser hir iawn.

Ond, yn seicolegol ac yn emosiynol, roedd yn rhaid i fi fynd i rywle nad oeddwn i wedi bod ynddo o'r blaen hefyd. Roedd bod mewn cell yn mynd i newid pethau. Newid y ffordd byddwn i'n gweld y byd, fy ngwlad a fi fy hunan. A dim ond ar ôl cyrraedd y fan honno roedd yn bosib i'r chwilio go iawn ddechrau.

Beth yw Cymru?

Wrth i fi edrych 'nôl ar fy mywyd, mae'n rhyfedd meddwl fy mod yn gorfod gofyn y fath gwestiwn. Cefais fy magu yng Nghymru, a chael fy ngeni ym Mynydd Cynffig ar ddiwedd yr Ail Ryfel Byd. Plant i lowyr oedd fy rhieni. Hyd nes i fi fod yn bump oed, doeddwn i ddim yn gallu siarad Saesneg.

Dyna'r dyddiau pan oedd mwy o dafarndai na chapeli a mwy o byllau glo nag ysgolion yng nghymoedd de Cymru. Mi es i Ysgol Ramadeg y Garw. Garw, wrth gwrs, oherwydd y tir o'n cwmpas, nid oherwydd y math o bobol oedd yn byw yno na'r math o ddisgyblion oedd yn yr ysgol. Dyma gyfnod darganfod Elvis a dechrau ei addoli. Wedyn, fe es i i Rydychen i astudio Ffiseg Niwclear cyn symud i Lundain i ddilyn cwrs Tystysgrif Addysg er mwyn cael bod yn athro Ffiseg. Syml.

Ond nid fel 'na fuodd hi wrth gwrs. Am yr ugain mlynedd wedi gadael Rhydychen a chael y Dystysgrif Addysg, ces fywyd gwahanol iawn. Pan oeddwn i'n prynu a gwerthu cyffuriau roeddwn yn berchen ar 25 o gwmnïau a'r rheini'n gwneud busnes o gwmpas y byd. Roedd gen i 89 llinell ffôn. Roedd fy enw wedi cael ei gysylltu â MI6, y CIA, y Maffia a'r IRA. Ond roedd union natur fy nghysylltiadau â'r cyrff yma'n amrywiol iawn.

Hefyd, roeddwn yn defnyddio hyd at 43 o ffugenwau gwahanol. Yr un mwya adnabyddus nawr yw Mr Nice. Yn y carchar, rhoddwyd rhif i fi – 41526-004. Roedd hyn yn newid pwy oeddwn i. Gan i fi newid o fod yn berson i fod yn rhif, fe wnes i golli pwy oeddwn i.

A dyna lle dechreues i ateb yr un cwestiwn pwysig arall. Beth yw Cymru?

CYMRO YN Y CARCHAR

YN ÔL Y RHAI oedd yn fy nghadw yn y carchar, roeddwn yn ddyn pwerus iawn mewn sawl gwlad drwy'r byd. Roedd cartel o dri chant o bobol yn gweithio i fi – rhai yn werthwyr dôp, eraill yn ei gludo. Oedd, roedd rhai'n dwyllwyr, eraill yn buteiniaid, yn derfysgwyr, yn ffugwyr arian, yn blismyn anonest ac yn staff llwgr oedd yn perthyn i rai o lywodraethau'r byd.

Y gwir oedd mai dyn 45 oed gydag ysgwyddau crwn a bola cwrw oeddwn i. Yn gorfforol, roeddwn yn wan iawn a doedd gen i chwaith ddim arian o gwbl. Roeddwn yn 'smart arse' dosbarth gweithiol o Gymru, gyda mwy nag un cymhwyster diwerth o Rydychen a phedwar o blant oedd yr adeg honno heb dad.

Roedd fy ngartre bum mil o filltiroedd i ffwrdd. Doedd neb arall o Ewrop yn y carchar, na neb o'r teulu o fewn cyrraedd. Dyna beth oedd yn rhwygo fy nghalon fwya. Roedd aelodau fy nheulu yn rhy hen neu'n rhy ifanc i ddod i'm gweld yn gyson tra bod eraill wedi cael eu gwahardd rhag ymweld â fi.

Roeddwn yn cael fy nghadw mewn lle cyfyng iawn. O'm cwmpas roedd ffens gwifren rasel, goleuadau a ffens drydan. Roedd dynion hanner

10

call yn patrolo'n gyson ac yn ysu am gael achos i ddefnyddio'u gynnau am y rheswm lleia.

Fy nghwmni yno oedd dynion oedd yn gweithio i'r Maffia, terfysgwyr, canibaliaid, treiswyr, llofruddwyr, a dynion llwgr eraill a gâi bleser wrth roi poen i bobol eraill.

Ble roeddwn i? Yn yr United States Penitentiary, Terre Haute, Indiana – yr unig garchar ffederal yn yr Unol Daleithiau â'i Death Row ei hun.

Y carchardai ffederal sy'n gofalu am y troseddwyr a allai fygwth diogelwch y wlad neu sy'n amhosib i'w rheoli – y seicopaths. Yr unig gategori arall mewn carchar o'r fath yw'r rhai sy'n cael eu galw yn 'anghyfleus'. Pobol fel terfysgwyr Islamaidd, lladron banc, rhai sydd wedi ceisio lladd yr Arlywydd, sbïwyr, rhai sy'n gwerthu puteiniaid ac wrth gwrs, smyglwyr cyffuriau.

Y carchar ffederal â'r enw gwaetha oedd Terre Haute am fod llawer yn marw neu yn cael eu treisio yno. Yr enw arno ymhlith y carcharorion oedd Terror Hut. Dyma ble roedd ysgol 'gladiators' yr Unol Daleithiau. Dyma ble byddai arweinwyr duon gangiau'r dinasoedd yn dysgu eu crefft – a dweud y gwir, roedd y mwyafrif llethol oedd yno'n wallgo.

Roedd bywyd y gangiau i'w weld yn amlwg

yn Terre Haute. Roeddwn yn byw y tu mewn i'r un waliau â phrif arweinwyr byd gangiau'r Unol Daleithiau i gyd! Mae gang yr El Rukhn o Chicago, gang o Fwslemiaid du eu croen, yn un o'r gangiau stryd mwya pwerus erioed â miloedd o aelodau. Blackstone Rangers oedd yr hen enw ar y gang. Roedd hyd yn oed y Cyrnol Gaddafi ei hun wedi rhoi arian i gefnogi gweithgareddau'r gang yma. Roedd y gang yn berchen ar adeiladau di-ri, a'r rheini wedi'u hariannu gan ei gweithgareddau amheus. O'r Blackstone Rangers y tyfodd nifer o gangiau eraill. Un o'r rhain oedd y Vicelords. A dyna pwy oedd yn rheoli bywyd carcharorion Terror Hut. Ambell waith byddai'r Vicelords yn tynnu ymlaen yn ddigon hwylus gyda'r El Rukhns yn Terror Hut. Ond ambell waith fydden nhw ddim.

Yno hefyd roedd nifer fawr o aelodau dwy o'r gangiau mwyaf enwog am eu drygioni yn Los Angeles, sef y Bloods a'r Crips. Roedden nhw'n ormod o broblem i awdurdodau California. Felly bydden nhw'n cael eu hanfon i Terror Hut. Ar ben hynny, roedd aelodau'r Washington DC Blacks yn ormod o fygythiad i awdurdodau carchar enwog Lorton yn y dalaith honno. I Terror Hut roedden nhw hefyd yn cael eu hanfon.

Doedd y Vicelords na'r El Rukhns ddim yn dod ymlaen o gwbl gyda'r Crips na'r Bloods nag unrhyw aelod o gang y DC chwaith. Byddai gan bob gang eu ffyrdd eu hunain o weithredu ac yn wir eu ffyrdd eu hunain o siarad â'i gilydd drwy ddefnyddio arwyddion llaw cymhleth. Roedd ganddyn nhw hyd yn oed eu lliwiau eu hunain.

Ac yn ychwanegol i'r rhain i gyd roedd gangiau'r Jamaican Posse. Roedden nhw'n casáu pob gang arall â chasineb pur.

Yn y carchar hefyd roedd gangiau gwyn, fel yr Aryan Brotherhood. Roedden nhw'n eithafol o hiliol fel roedd y Dirty White Boys a'r Dixie Mafia o daleithiau 'red-neck' y de. Roedd y Mexican Mafia yno, a sawl syndicet o Ciwba, Puerto Rica a Colombia yn ogystal â gangiau o feicwyr. Terre Haute hefyd oedd cartre aelodau mwyaf amlwg maffia Iwerddon a maffia'r Eidal.

Y broblem oedd fod disgwyl i bawb ddweud i ba gang roedden nhw am berthyn. Ac wedi gwneud hynny, byddai'r holl broses o fynd drwy'r seremonïau i gael eich derbyn i'r gang honno. Roedd nifer o'r gangiau yn disgwyl i chi ladd un o'r carcharorion eraill er mwyn cael eich derbyn. Yr unig ffordd i osgoi dod yn aelod o gang oedd creu'r argraff eich bod yn rhyw fath o alien o'r gofod. Byw ac ymddwyn fel rhywun o'r tu allan yn llwyr, gan dynnu sylw atoch eich hunan ar yr un pryd. Dyna'r union ffordd hefyd i osgoi cael eich llofruddio ar hap a damwain.

Dyna fy mantais i. Dyna fy nghyfle i.

Cofiais yn ddigon cyflym i fi fod yn eitha enwog ddeng mlynedd ynghynt. Roeddwn wedi bod yng ngharchar Brixton. Oherwydd yr adroddiadau teledu a radio, roeddwn yn siŵr o gael croeso fel troseddwr adnabyddus gan aelodau gangiau Llundain oedd yn Brixton ar y pryd.

Doeddwn i ddim yn gwybod sut groeso a gawn i cyn mynd i Terror Hut, wrth gwrs. Felly penderfynais geisio osgoi unrhyw wrthdaro trwy fod yn hoffus, yn gwrtais ac yn gymwynasgar. Hynny yw, mor bell o fod yn 'macho' ag roedd yn bosib! Er bod arna i ofn mawr, dwi wedi dysgu nad oes unrhyw achlysur nag amgylchiad lle mae'n talu'r ffordd i ddangos mod i'n ofnus. Rhaid dysgu rheoli ofn, ac mae hyn hefyd yn wir am eiddigedd.

Pan oeddwn i'n blentyn ym Mynydd Cynffig roeddwn yn blentyn gwan ac eiddil. Wimp fyddai gair plant eraill y lle amdana i. Ac fe fyddwn i bob amser, os oedd yn bosib, yn osgoi gwaed a thrais.

Dychmygwch fy ymateb, felly, i'r hyn a

14

welais yn Terror Hut. Tra oeddwn i yno, fe welais â'm llygaid fy hun gangiau yn treisio, yn garotio â thannau gitâr, yn trywanu rhywun yn ei galon, yn ei ysgyfaint ac yn ei arennau. Bues yn dyst hyd yn oed i ymgais i ddienyddio un o'r carcharorion. Un tro, bu brwydr agored rhwng rhyw 200 o garcharorion. Roedd pawb wrthi'n ceisio torri ei gilydd yn ddarnau â chleddyfau cartre, cyllyll o'r gegin a darnau gwydr o amrywiol faint.

Gwnaeth hyn i gyd gryn argraff arna i ac mae wedi gadael ei ôl, fel y byddech yn disgwyl. Bellach dwi braidd yn ddideimlad pan fydd pobl yn dangos eu galar yn ormodol. Er nad yw bod yn ddideimlad yn beth deniadol na dymunol, eto roedd yn help i fi fodoli yn y carchar.

Ac nid dim ond y carcharorion oedd yn creu'r anawsterau. Roedden ni i gyd yn cael ein cadw mewn trefn gan gnafon 'red-neck' caled, gordew Llywodraeth yr Unol Daleithiau. Roedden nhw'n amrywio o ddynion tew militaraidd yn dwlu ar bŵer, i ddynion tew gorffwyll oedd wedi cael eu gwrthod gan y Ku Klux Klan. Eu hobi oedd saethu anifeiliaid ac ymladd mewn tafarndai.

Cafodd un ei arestio am redeg o gwmpas yn noeth, un arall am ddod â chyffuriau i'r carchar, ac un arall am fod yn rhan o redeg busnes

15

pornograffi. Cafodd y caplan hyd yn oed ei arestio am smyglo heroin i mewn i'r carchar. Roedd y Warden, y dyn oedd i fod i'n rheoli, yn feddw drwy'r amser. Ym mhob un o garchardai eraill yr Unol Daleithiau, roedd yn bosib bygwth y carcharorion drwy ddweud y bydden nhw'n cael eu hanfon i Terror Hut.

Ond i'r rhai ohonom ni oedd yn Terror Hut ei hun, doedd dim bygythiad tebyg yn bosib. Heblaw, efallai, am gael ein hanfon i'r Twll – cell fechan iawn ac oer, lle câi carcharorion eu taflu i fod ar eu pen eu hunain. Ond gan ei bod yn cael ei defnyddio mor aml, doedden ni ddim yn cymryd unrhyw sylw o'r bygythiad. O ganlyniad, byddai cyfnodau o anhrefn llwyr yn digwydd yn aml. Câi o leia un carcharor ei drywanu bob dydd a hefyd byddai ymladd ffyrnig a gwaedlyd yn digwydd yn ddyddiol. Felly, câi dynion eu hanafu, a llawer yn cael eu llofruddio hyd yn oed. Roedd hanner y carcharorion yno am eu hoes, a minnau'n debygol iawn o fod yn un ohonyn nhw.

Doedd fawr o ddiben troi 'nôl at yr hyn roeddwn wedi'i ddysgu yn y gorffennol i'm helpu i fyw yn y fath sefyllfa. Roedd gwybod sut i ddelio â phenwythnos mewn cell yng ngorsaf yr heddlu neu wythnos ar fechnïaeth neu hyd yn oed ychydig flynyddoedd o guddio, yn gwbl

16

ddiwerth yma. Nawr, roedd yn rhaid i fi ddysgu sut roedd dal i fodoli a finne wedi fy nghladdu'n fyw.

Penderfynwyd bod fy nhrosedd yn un o'r radd waetha. Roeddwn wedi dangos yr amarch mwya tuag at genedl yr Americanwyr trwy ei sarhau. Felly roedd yn rhaid i fi ddiodde am hyn.

Bob dydd am y flwyddyn gyntaf byddwn yn cael 'diesel therapy'. Roedd hynny'n golygu cael fy symud o gwmpas o un man i'r llall heb unrhyw reswm. Cawn fy neffro am dri o'r gloch y bore. Yna, bydden nhw'n mynd â fi i gell oer, wlyb a drewllyd lle roedd yn rhaid i fi aros am dair awr. Tra byddwn i yno, câi olion fy mysedd eu cymryd ac fe fydden nhw'n tynnu fy llun. Wedyn, byddai Marshals arfog yr Unol Daleithiau yn fy archwilio hyd at saith o weithiau: yn tynnu fy nannedd gosod allan, yn llusgo fy mlaengroen yn ôl er mwyn gweld oeddwn i'n cuddio rhyw arf a allai fy helpu i ddianc! Cefais fy symud i saith carchar gwahanol yn y flwyddyn gyntaf hon.

Byddwn yn cael archwiliadau meddygol a châi moddion gwrthfiotig eu chwistrellu i mewn i fi. Yna, cawn fy nghlymu â chadwynau a gefynnau am fy nwylo a'm rhoi ar fws y carchar. Roedd y tymheredd o dan y pwynt rhewi. Byddai bocs metel du wedi'i glymu wrth

17

fy ngwregys fel na fyddai modd i fi symud fy nwylo o gwbl.

Cawn fy arwain i mewn i adeilad y llys wedyn, gan aros yno am bedair awr. Wedyn yn y gorlan lle roedden nhw'n cadw carcharorion cyn mynd i'r llys. Byddwn yno am rai oriau cyn mynd 'nôl i gell arall, neu i gaets ar yr iard neu ar lawr concrid gwag mewn carchar arall. Ambell waith bydden nhw'n mynd â fi i garchar sirol neu faes awyr neu i wersyll milwrol. Doedd neb yn dweud wrtha i ble roeddwn i'n mynd, felly doeddwn i ddim yn gwybod ble roeddwn i. Doeddwn i ddim yn gwybod ai mynd ynteu dod oeddwn i. A dyna'r bwriad.

Doedden nhw ddim yn gadael i fi gysgu cyn hanner nos a fyddwn i ddim yn cael darllen papurau newydd na llyfrau yn ystod yr oriau pan oeddwn ar ddihun. Mi wnes fy ngorau i ymladd yn erbyn yr awdurdodau er mwyn ennill fy rhyddid, ond roeddwn wedi colli. Mae'n amlwg nad oedd unrhyw faddeuant i fi am bechu yn erbyn America, gwlad Duw ei hun. Yr unig ffordd y byddai'n bosib i fi osgoi blynyddoedd maith mewn carchar fyddai rhoi tystiolaeth yn erbyn aelodau fy nheulu a'm ffrindiau fy hun. Doeddwn i ddim yn barod i wneud hynny. Byddai hynny'n golygu troi cefn ar fy syniad o deyrngarwch a newid fy ngwerthoedd yn llwyr.

Byddai'n rhaid i fi'n droi'n fradwr drwy gario clecs, yn Jiwdas am dragwyddoldeb. Fyddwn i byth yn gallu edrych wedyn yn wyneb fy rhieni na'm plant chwaith. Allwn i ddim gwneud hynny. Byddai'n well gen i roi'r gorau i fywyd a chymryd fy lle ym mynwent y carchar – man gorffwys y rhai gafodd eu hanghofio cyn iddyn nhw farw.

Roedd yn edrych yn debyg iawn y byddai'r awdurdodau yn gwrthod rhoi parôl i fi. Os felly, y tebygrwydd oedd y byddwn yn y carchar am o leia 16 mlynedd. Byddwn yn 60 mlwydd oed erbyn hynny, a fyddai neb yn barod i aros mor hir â hynny amdana i. Byddwn yn mynd yn ôl i'r byd mawr heb hyd yn oed y pot diharebol i bisho ynddo. Fyddai neb am fy nghyflogi ac mae'n weddol sicr y byddwn yn llawn casineb hefyd. Dyn hen a hyll fyddwn i, dyn na fyddai unrhyw un am fwynhau cael rhyw gydag e.

Byddai fy mhlant wedi hen adael cartre a byddai plant gan fy mhlant erbyn hynny – wyrion na fyddwn i'n eu nabod. Byddwn yn gwenu'n addfwyn ar blant cyn-wragedd a'u partneriaid newydd. Byddai'n rhaid i mi hefyd ymweld â bedd fy rhieni.

Oedd y cyfan yma'n werth aros amdano? Pam peidio dod â'r cyfan i ben? Oedd hi'n werth bodoli mewn cachu ac aros am y diflastod oedd i ddod. Oedd unrhyw beth positif ar ôl yn fy mywyd? A beth am ystyr i fywyd? Oni ddylwn i o leia ddechrau chwilio am atebion? Beth oeddwn i? O ble roeddwn i wedi dod? Beth oedd gen i ar ôl mewn gwirionedd? Dau beth yn unig. Fy nghorff a fy meddyliau.

Roeddwn yn Terre Haute. A dyna lle aeth Terror Hut â fi.

CYMRU'R CARCHAR

WEDI CYRRAEDD MAN FEL Terre Haute, ble roedd mynd nesa? Roedd yn rhaid gweithio gyda'r hyn oedd ar gael. O leia roedd edrych ar ôl y corff yn bosib ac falle y byddai hynny'n agor ambell ddrws.

Does dim prinder awydd i gadw'n ffit yn y carchar na phrinder ysgogiad chwaith. Er gwaetha'r cyfnodau du, ac roedd y rheini yno o hyd, eto roedd digon o reswm dros gadw'n ffit o leia. Mae'n rhan o seicoleg bodoli.

Mae'r rhai sydd yn wynebu carchar am oes yn gobeithio byw yn hirach yn y gobaith y bydd y gyfraith yn newid ac y byddan nhw'n cael pardwn wedyn. Mae'r hen ddynion sydd yno ers amser maith yn gweld ymarfer corff fel ffordd bosib o ailgydio yn y blynyddoedd coll. Rhyw fath o ddal gafael ar y rhyddid a gollwyd. Daeth rhain i'r casgliad, wrth ddal ati i ymarfer y corff, byddai ganddyn nhw'r cyfle i fyw tan eu henoed – er eu bod nhw yn y carchar!

Falle mai dyna beth oedd angen i fi ei wneud er mwyn delio â'r cwestiynau mawr. Ac er mwyn cadw'r freuddwyd o allu dianc yn fyw hefyd, am wn i. Gallwn wedyn ddringo pob ffens, neidio ar draws y tyrau a chipio gynnau'r swyddogion.

Ond i wneud hynny, roedd angen oriau o baratoi gofalus a lefel ffitrwydd uchel iawn.

O fewn muriau caeth y gell lle byddwn am y rhan fwya o'r amser, roedd yn rhaid i fi drio gwneud rhywbeth ynglŷn â'r awydd annisgwyl am fywyd mwy iach. Roedd yr amgylchiadau yn siwtio un ymarfer yn arbennig o dda, sef ioga. Ioga yw'r system hyna yn y byd i ddatblygu'r corff a'r meddwl ar yr un pryd.

Diolch byth, mae'n ddigon rhwydd cael gafael ar lyfrau ioga, hyd yn oed yn y carchar. Roedd yr ymarferion sylfaenol, asanas, yn hawdd iawn i'w dysgu ac yn ffordd dda o ngwneud i'n fwy hyblyg. Ar yr un pryd roeddwn yn teimlo bod yr ymarferion anadlu'n llesol iawn. Roedden nhw'n gwneud i fi ymlacio a byddwn yn fwy tawel fy meddwl. Felly, gallwn fyfyrio, gan osgoi hel gormod o feddyliau.

Yn syml iawn, roedd ioga'n gwneud synnwyr. Ymestyn ac anadlu yn lle anadlu'n drwm a straffaglu. Ymlacio yn lle ymdrechu. Dydw i erioed wedi meddwl ei fod yn bwysig gallu cyrraedd yr uchelfannau heb help cemegol. Ond roedd yn braf sylweddoli bod ffyrdd eraill o gyrraedd cyflwr meddwl digon tebyg heb gemegion.

Byddai'r rhan fwya o garcharorion America yn gweld ioga fel rhywbeth i ferched, hipis neu bobol wan eraill. Calisthenics oedd un o'u hymarferion. Does dim angen unrhyw offer arbennig, dim ond pwysau eich corff chi eich hun. Yr enghraifft symla yw press-ups. Fe wnes i elwa cryn dipyn wrth wneud y math yma o ymarfer.

Dyw calisthenics na ioga ddim yn gwella dim ar y cardiofasciwlar. Felly, roedd yn rhaid rhedeg yn yr unfan a chwifio breichiau hefyd. Ond byddai mynd am dro sydyn neu ddawnsio hanner call a dwl o dan oleuadau strôb yn llawer gwell gen i!

Wrth i'r misoedd fynd heibio, roedd awdurdodau'r carchar yn dechrau gweld eu bod yn gallu ymddiried yndda i. Cawn fynd o'r gell am gyfnodau hirach bob dydd a chawn fy nhrin fel un o'r carcharorion cyffredin.

Mae bywyd carcharorion sydd dan glo am amser hir yn cael ei drefnu er mwyn cynnig cymaint o gyfle â phosib iddyn nhw ddefnyddio adnoddau ymarfer – hyd at 50 awr bob wythnos. Byddai rhai o'r adnoddau yn Terre Haute yn codi cywilydd ar y rhan fwya o glybiau iechyd Prydain!

Roedd campfa dan do yno ac un awyr agored – cytiau codi pwysau, cyrtiau tennis, cyrtiau sboncen, caeau pêl-droed, cyrtiau pêl-fasged a thraciau rhedeg. Roeddwn i'n chwarae tennis ac yn cerdded o amgylch y trac rhedeg pan fyddai'r cyrtiau'n llawn. Mae nifer o garcharorion yn cyrraedd lefel ffitrwydd anhygoel oherwydd yr adnoddau hyn.

Gweithiodd yr holl ymarfer. Yn raddol, daeth hapusrwydd yn ôl i mi ac roeddwn yn edrych ar fywyd yn fwy positif. Roeddwn yn delio'n well â'm hamgylchiadau, er nad oeddwn i'n gwybod pwy oeddwn i mewn gwirionedd. Hyd yn oed os oedd y cwestiynau tywyll yn dal heb eu hateb, o leia fe ddechreuais sylweddoli fy mod yn Gymro.

Ers y diwrnod y cefais i fy arestio, doedd neb wedi talu unrhyw sylw i'r ffaith fy mod yn dod o Gymru. Doedd hynny ddim yn syndod mewn gwirionedd.

Roeddwn yn siarad yr iaith Saesneg – yn well na nhw hefyd. O dro i dro byddwn yn dweud fy mod yn Gymro. Yr ymateb fel arfer oedd edrych arna i'n dwp, heb ddangos unrhyw ddiddordeb yn y ffaith o gwbl. Y peth gwaetha oedd dechrau esbonio beth oedd y gwahaniaeth rhwng Cymru a Lloegr. Byddai unrhyw ddiddordeb yn y pwnc yn diflannu yn eitha cyflym. Doedden nhw ddim yn barod i dderbyn bod y Gymraeg yn iaith ar wahân, ac nad rhyw ffurf ar dafodiaith Saesneg oedd hi. Ond roedden nhw hefyd yn gwrthod derbyn nad oedd y Dywysoges Diana yn dod o

Gymru! Yn sicr, doedden nhw ddim am dderbyn mai'r Cymry oedd trigolion gwreiddiol gwledydd Prydain.

Ond yna, un diwrnod, daeth Tee Bone Taylor i siarad â fi. Roedd e yn y carchar am ladd plisman a dosbarthu crac cocên. Dywedodd ei fod wedi bod yn gwrando ar y radio a'i fod wedi clywed rhaglen am Gymru. Dysgodd fod Hilary Clinton yn dod o deulu Cymreig – gwraig i Bill oedd ar fin dod yn Arlywydd yr Unol Daleithiau. Roedd ganddi deulu o Gymru ar y ddwy ochr. Dywedodd Tee Bone nad oedd yn cofio fawr ddim am weddill y rhaglen, dim ond rhai tameidiau. Roedd mam Bop Hope, ei hoff ddigrifwr, yn Gymraes, a phump o chwech Arlywydd cynta America, gan gynnwys Thomas Jefferson yn Gymry. Roedd 18 o'r rhai oedd wedi arwyddo Datganiad Annibyniaeth America hefyd o deuluoedd Cymreig. A Jesse James, y lleidr banciau, Pretty Boy Floyd, a Murray "the Camel" Humphries, y gangster cynta i bledio'r Pumed Newidiad (Fifth Amendment).

Roedd yr hyn roedd Tee Bone yn ei ddweud wrtha i'n gwbl newydd i fi. Ac yn syml, doeddwn i ddim yn ei gredu! Eto, roedd yn rhaid i fi wybod mwy. Doeddwn i ddim yn fodlon wynebu'r posibilrwydd fod gwerthwr crac o Chicago yn gwybod mwy am fy ngwlad nag oeddwn i. Doedd dim diferyn o waed Cymreig yn ei gorff e!

Byddai carcharorion yn cael benthyg llyfrau o'r llyfrgelloedd lleol. Fe es ati i ofyn am nifer oedd yn trafod y cysylltiad rhwng Cymru ac America. Darllenais bob un ohonyn nhw.

Roedd Tee Bone yn iawn. Roedd rhieni Hilary Clinton, Dorothy Howell a Hugh Rodham yn dod o Gymru. Doedd Arlywydd cynta America, George Washington, ddim o dras Cymreig, ond o Gymru roedd ei wraig, Martha, yn dod yn wreiddiol. Roedd y pump Arlywydd nesa, sef John Adams, Thomas Jefferson, James Madison, James Monroe a John Quincy Adams yn Gymry.

Yn sydyn, doedd America ddim yn wlad mor estron – roedd yn llawn Cymry a rheini wedi chwarae rhan flaenllaw yn natblygiad y wlad.

Roedd Tee Bone wedi agor drws. Un a fyddai'n mynd â fi 'nôl i'r famwlad.

CYMRU'R PLENTYN

ROEDD FY NHAD, DENNIS Marks, yn fab i Tudor Marks, glöwr a oedd yn ennill arian ychwanegol trwy focsio. Pe bai rhywun yn gallu para rownd gyfan heb gael ei fwrw allan, yna byddai Tudor yn rhoi ychydig o sylltau iddo. Roedd tad-cu Tudor, Patrick McCarty, wedi symud o Cork i Fynydd Cynffig. Gorffennol tywyll iawn oedd ganddo fe ac er bod llawer o gwestiynau ynglŷn â'i fywyd cyn iddo ddod i Gymru, doedd dim llawer o atebion.

Pam y gwnaeth e newid enw'r teulu i Marks? Bu'n rhaid i bob aelod o'r teulu a ddaeth draw gydag e wneud yr un peth. Roedd y cymdogion i gyd yn barod iawn i gynnig eu hawgrymiadau. Falle ei fod am ddianc rhag yr heddlu yn Iwerddon am ryw drosedd ofnadwy roedd e wedi'i chyflawni. Falle ei fod e am etifeddu arian gan ei ffrindiau, Iddewon o'r Almaen oedd yn berchnogion y gwaith glo. Neu falle fod perthynas agos wedi sarnu enw da'r teulu. Doedd neb yn gwybod.

Priododd Tudor â Katie Jones, y fydwraig leol. Yn ei gwaith bu'n gyfrifol am ddod â dros ddwy fil o fabis i'r byd. Roedd ei thad yn löwr a bu'n gaeth o dan ddaear am 11 diwrnod un tro, wedi

27

iddo fod mewn damwain erchyll i lawr yn y pwll. Llwyddodd i gadw'n fyw drwy yfed pisho ceffyl.

Pan oedd yn ei arddegau cynnar gadawodd fy nhad yr ardal er mwyn dechrau ar yrfa yn y llynges. Yn gynta, fe aeth i Goleg Morwrol Caerdydd. Roedd dyddiau da, llewyrchus y llongau yng Nghaerdydd wedi dechrau yn yr 1880au pan oedd y byd i gyd yn galw am lo Cymru. Yn nociau Caerdydd roedd swyddfeydd a phencadlys dros 120 o gwmnïau llongau. Yno hefyd roedd yr unig Gyfnewidfa Lo yn y byd – lle câi pris glo ei benderfynu.

Cwmni llongau mwya Caerdydd oedd y Reardon Smith Line. Cafodd ei sefydlu gan y Gwyddel Sir William Reardon (O'Riordean) Smith. Yn 1929 ymunodd fy nhad â'r cwmni fel prentis. O fewn deng mlynedd fe oedd capten ifanca'r Llynges Fasnachol ac yn ystod y rhyfel roedd yn 'Comodor' yn y llynges. Yn ystod cyfnod y rhyfel bu'n gyfrifol am arwain confoi o longau yn cario arfau o Aberdaugleddau i luoedd Prydain ar draws y byd. Mae ei fedalau gen i o hyd.

Ar ôl y rhyfel cafodd fy nhad ei wneud yn gapten yr SS Bradburn, llong nwyddau deng mil o dunelli. Roedd yn teithio o amgylch y byd yn codi ac yn trosglwyddo nwyddau o bob math o'r naill borthladd i'r llall.

Roedd fy nhad i ffwrdd ar y môr pan gefais fy ngeni yn 1945 ac yn dod i ddiwedd ei 21 mlynedd o weithio yn y llynges. Roeddwn yn ddwyflwydd oed pan wnes i gyfarfod ag e am y tro cynta. Ambell waith byddai'r cwmni'n fodlon i Mam fynd gyda Dad ar y môr ac yn 1948 roedden nhw'n fodlon i fi fynd gyda hi hefyd. Yn y cyfnod rhwng 1948 ac 1950 bues i'n ddigon ffodus o gael ymweld â bron pob harbwr yn y byd!

Saesneg oedd iaith y rhan fwya o bobol yn yr ardal o'm cwmpas adre. Ond roedd fy mam yn eithriad gan ei bod hi'n dod o Gwm Tawe. O ganlyniad, Cymraeg oedd fy iaith gynta. Am bum mlynedd cynta fy mywyd doeddwn i ddim yn siarad Saesneg, ond rhwng pump a saith oed fe es i i ysgol gynradd Saesneg. Roedd llai na 5% o'r plant yno yn siarad Cymraeg ac felly roedd troi i siarad Saesneg yn yr ysgol yn beth naturiol. O ganlyniad i ddylanwad yr ysgol a fy ffrindiau roeddwn yn fwy cyfforddus a rhugl yn y Saesneg mewn fawr o dro.

Ar yr un pryd, dechreuodd fy nhad ddysgu Cymraeg. Gan fy mod i'n gallu dysgu ieithoedd newydd yn fwy cyflym nag e, Saesneg oedd yr iaith rhwng fy nhad a fi. Yna, cafodd fy chwaer ei geni a byddai fy rhieni a fi'n siarad Cymraeg â hi. Wrth edrych 'nôl, roedd y sefyllfa yn eitha cymhleth gan mai Saesneg fyddai fy rhieni'n siarad â'i gilydd!

Does gen i ddim cof o gwbl o ddysgu unrhyw beth ynglŷn â gormes Lloegr dros Gymru. Cawn yr argraff fod Lloegr yn wlad bwerus, gyfeillgar. Yn fwy na hynny, credwn ein bod yn dibynnu arni am ein bodolaeth fel gwlad. Ar y pryd roeddwn yn credu mai Lloegr oedd mamwlad Cymru. Yn yr ysgol, roeddwn wedi dysgu am fethiant Owain Glyndŵr i anfon y Saeson o'r wlad. Cawsom ein dysgu i'r ddwy wlad fod yn ffrindiau mawr ers hynny ac nad oedd dim modd ein gwahanu. Rhaid cofio nad oedd prifddinas gan Gymru yn y cyfnod hwnnw. Roedd arwyddion ffyrdd a ffurflenni swyddogol yn Saesneg. Rhanbarth oedd Cymru a Saeson y gorllewin oedd y Cymry.

Roedd gwahaniaethau rhwng Cymru a Lloegr, wrth gwrs. Roedd y Cymry'n canu'n well, er doedden nhw ddim yn canu'r caneuon roeddwn i'n eu hoffi o gwbl. Roedd y Saeson yn rhywiol ac yn 'glamorous'. Capeli a defaid oedd 'da ni. Roedd y Saeson yn well pêl-droedwyr. Pedwar tîm yn unig oedd gan Gymru ym mhedair Cynghrair y Gymdeithas Bêl-droed. Un chwaraewr da oedd 'da ni, sef John Charles. Ac roedd e wedi symud o Gaerdydd lan i Leeds erbyn hyn. Roedd y Cymry, wrth gwrs, yn arbennig o dda yn chwarae rygbi ac roedd hi'n hanfodol bwysig ein bod yn curo Lloegr mewn rygbi, o leia.

Dyma lle roedd y teimladau'n corddi fwya – fel y tro hwnnw pan chwalodd fy nhad-cu'r radio'n ddarnau â'i sgidiau hoelion am fod Cymru wedi methu gôl gosb rwydd! Ond gelyniaeth ar y cae chwarae oedd e mewn gwirionedd a dim mwy na hynny. Yn 1952 enillodd Cymru'r Gamp Lawn. Ond doedd dim llawer o ddathlu, gan ein bod ni'r Cymry yn rhan o alaru mawr y Saeson ar y pryd wedi marwolaeth y Brenin Siôr VI. Ei ŵyr fyddai Tywysog nesa Cymru, yr un cynta ers Edward VIII yn 1910. Roedd yn ymddangos ein bod yn falch o hynny. A'r flwyddyn ganlynol, roeddem yn cymryd ein lle yn y ciw y tu allan i dai'r rhai yn ein stryd ni oedd â theledu – er mwyn cael gwylio Elizabeth II yn cael ei choroni'n frenhines.

Fel y dywedais, roedd mwy o dafarndai nag o gapeli ym Mynydd Cynffig a mwy o byllau glo nag o ysgolion. Roedd fy mam wedi fy nysgu i gadw draw o'r tafarndai – doedd hynny ddim yn broblem tan i fi gyrraedd fy arddegau. Roedd hi hefyd wedi fy nysgu i gadw draw o'r pyllau glo – fu hynny ddim yn broblem erioed chwaith. Byddai'n rhaid i fi fynd i'r capel ac roeddwn yn casáu hynny. Byddai'n rhaid i fi hefyd fynd i'r ysgol ac roeddwn yn gwneud hynny'n gymharol fodlon.

Ar wahân i'm chwaer, Linda, dim ond un ffrind go iawn oedd gen i. Marty Langford oedd e, mab i berchennog y siop hufen iâ yn y pentre. Roedd ei dad wedi ennill gwobrau cenedlaethol am ei hufen iâ. Roedd y ddau ohonon ni'n debyg iawn. Yn ddigon siarp yn yr ystafell ddosbarth ac yn weddol boblogaidd y tu allan hefyd gan ein bod yn gallu dal ein tir yn yr ymladd ar iard yr ysgol.

Wrth aros am ganlyniadau arholiad yr 11+ penderfynais fynd yn dost. Roedd ysgol yn boring uffernol. Ar ben hynny roedd arna i angen cydymdeimlad a sylw. Ychydig cyn hynny, roeddwn wedi darganfod ei bod yn bosib gwneud i'r darlleniad ar y thermomedr godi, wrth i fi daro'r 'mercury' ynddo â'm bys. Felly, pan na fyddai neb yn edrych, roeddwn yn gallu penderfynu pa dymheredd roeddwn am fod. Roeddwn hefyd yn arbenigwr ar ffugio gwddw tost, cyfogi, pen tost a phob math o symtomau eraill. Trwy hyn oll, roedd fy nhymheredd yn gallu codi hyd at 104 gradd Fahrenheit.

Prin iawn yw'r clefydau sy'n achosi i'r tymheredd godi a disgyn mor ddramatig. Un ohonyn nhw yw afiechyd o'r enw 'y dwymyn donnol' (undulant fever), neu Dwymyn Gibraltar

neu Dwymyn y Graig. Ac roedd fy nhad wedi
disgyn o dan ei dylanwad hefyd.

Cefais fy rhoi mewn ward ar fy mhen fy hun yn
Ysbyty Cyffredinol Pen-y-bont. Byddai dwsinau
o ddoctoriaid, nyrsys a myfyrwyr yn heidio o
gwmpas fy ngwely. Roedd pawb yn arbennig o
garedig wrtha i a bydden nhw'n rhoi pob math
o brofion i fi.

Roedden nhw'n ddigon ffôl i adael y
thermomedr wrth ymyl fy ngwely yn weddol
aml, heb neb arall o gwmpas ond fi. Felly, roedd
yn rhwydd iawn creu twymyn arall! Roedd digon
o gyfle hefyd i edrych drwy ffeiliau amrywiol
oedd â label 'Not to be Handled by the Patient'.
Datblygais wir ddiddordeb mewn meddygaeth
– a hyd yn oed fwy o ddiddordeb mewn nyrsys!

Wedi rhai wythnosau o dderbyn cyffuriau
roeddwn, unwaith eto, yn hollol 'bored'.
Roeddwn am fynd 'nôl adre i chwarae â'r
Meccano. Rhoddais y gorau i chwarae â'r
thermomedr ac i'r cwyno hefyd. Ond, yn
anffodus, roedd yn fwy anodd gadael yr ysbyty
nag i fynd yno. Rhywbeth tebyg i garchar heddi,
a dweud y gwir. Gan mod i'n becso cymaint am
gael gadael y lle, doeddwn i ddim yn bwyta
o gwbl. O ganlyniad, roeddwn yn cynnig
symptom newydd i'r doctoriaid i'w ystyried.
Ond, wedi yfed galwyni o Lucozade, daeth fy

chwant bwyd yn ôl. Cefais fy rhyddhau o'r ysbyty er mwyn mynd adre i wella. Roedd fy sgam cynta drosodd.

Fe wnes i basio'r 11+ ac fe wnaeth Marty hefyd. Er mai Ysgol Pen-y-bont oedd yr ysgol ramadeg agosa, am ryw reswm cafodd y ddau ohonon ni ein hanfon i Ysgol Ramadeg y Garw. Ysgol ramadeg henffasiwn oedd hi, ond roedd bechgyn a merched yno gyda'i gilydd. Roedd yr ysgol yn sefyll gyferbyn â gwaith glo'r Ffaldau ym Mhontycymer, y pentre ola ond un cyn cyrraedd y 'dead end' go iawn ym Mlaengarw.

Roedd Mynydd Cynffig 11 milltir o gatiau'r ysgol a byddai dalgylch yr ysgol yn rhyw 15 milltir. Ond roedd bws yr ysgol – roeddwn i'n ei alw'n 'yellow dog' am ei fod yn stopio ar bwys pob postyn lamp yn cymryd rhyw awr i fynd â ni i'r ysgol. Doedd dim byd yn digwydd y tu fas i oriau'r ysgol. Roedd gwisg ysgol ar gael ond doedd neb yn ei gwisgo. Byddai defaid y bryniau gerllaw yn ymweld â iard yr ysgol yn aml ac ambell waith roedden nhw'n cyrraedd yr ystafelloedd dosbarth. Roedd Daniel Davies, meddyg y Frenhines, yn gyn-ddisgybl yn yr ysgol ac yn destun balchder.

Bellach, roeddwn wedi rhoi'r gorau i ymladd ar yr iard. Yn rhannol am fy mod wedi colli'r gallu – hynny yw, roedd pawb arall yn ennill!

Ac yn rhannol am nad oeddwn yn gallu diodde cysylltiad corfforol â bechgyn. Roedd nyrsys Ysbyty Cyffredinol Pen-y-bont wedi fy sbwylio. Bendith arnyn nhw.

Gan ddibynnu ar fy ngwybodaeth feddygol, unwaith eto roedd angen i mi chwarae â 'mercury' y thermomedr. Daeth salwch arall i'r amlwg a chefais fy esgusodi o bob gwers addysg gorfforol yn yr ysgol. Canlyniad hyn oll oedd i'r bechgyn eraill fy ngalw'n 'wimp', ac yn 'sissy'. Ar ben hyn oll roeddwn yn gwneud yn dda iawn yn arholiadau'r ysgol. Felly, roeddwn yn swot hefyd! Mewn sawl ffordd roedd hynny'n waeth. Doedd bywyd ddim yn datblygu fel roeddwn i ishe iddo fynd gan fod y merched yn fy anwybyddu. Roedd y bechgyn yn gwneud sbort ar fy mhen, felly roedd galw am newid mawr yn fy mywyd.

Roedd yn amlwg o'i ffilmiau nad oedd y problemau hyn wedi poeni Elvis Presley. Byddwn yn gwrando'n ddi-stop ar ei recordiau a darllenais bopeth amdano. Steil ei wallt e oedd steil fy ngwallt i a gwnes fy ngorau i edrych mor debyg iddo â phosib. Roeddwn am swnio'n debyg iddo hefyd a gwnawn bob ymdrech hyd yn oed i symud fel fe. Methu wnes i. Roeddwn bron â llwyddo. Wel, dyna roeddwn i'n ei gredu o leia. Wedi'r cyfan roeddwn yn fain, yn dal, roedd fy ngwallt yn dywyll a ngwefusau'n

35

drwchus. Pan fyddwn yn sefyll i fyny'n syth, roedd modd i mi gael gwared ar yr ysgwyddau crwn a'r bola oedd gen i.

Ers i mi fod yn chwe blwydd oed, roeddwn wedi cael gwersi piano ddwywaith yr wythnos yng nghartre cymydog. Ond er mawr siom i fy rhieni, roeddwn wedi rhoi'r gorau i ymarfer 'Für Elise' a'r 'Moonlight Sonata' ac yn gweithio erbyn hyn ar berfformiadau perffaith o 'Teddy Bear' a 'Blue Suede Shoes', gan eu perfformio i gynulleidfa ddychmygol.

Yn yr ysgol felly, penderfynais fod angen dangos ychydig o ddireidi. Y gobaith oedd y byddai hyn yn fy ngwneud yn amhoblogaidd gyda'r staff ac yn boblogaidd gyda'm cyd-ddisgyblion. Ac i raddau helaeth dyna ddigwyddodd. Ond roedd diffyg dygnwch corfforol yn dal yn broblem. Daliai pawb i feddwl fy mod yn wimp. O ganlyniad, daeth bwlio yn fwy cyffredin. Doedd dim digon o ddewrder gen i i ddangos fy ngherdyn Elvis. Felly, yr hyn oedd ei angen arna i oedd 'body-guard'.

Roedd y rhan fwya o'r disgyblion yn byw ym mhentrefi gwasgaredig y cymunedau glo. Roedd gan bob pentre ei fywyd cymdeithasol a'i bobol ifanc ei hun. Ychydig iawn ohonyn nhw âi i'r ysgol ramadeg ym mhen arall y cwm. Roedd gan bob pentre hefyd ei blentyn caled. Albert

Hancock oedd plentyn caled Mynydd Cynffig, crwt gwyllt iawn oedd yn edrych yn debyg i James Dean.

Roeddwn yn gyfarwydd â'i weld ar strydoedd Mynydd Cynffig. Ond roedd arna i ei ofn go iawn. Roedd hyd yn oed y rhan fwya o bobol sobor yn ei ofni. Roedd yn rhaid i fi ddod yn ffrindiau ag e rywsut. Prynais sigaréts a gofynnais iddo ddangos i fi sut y gallwn i dynnu'r mwg i mewn i'm hysgyfaint. Gwnes yn siŵr fy mod ar gael i fynd ar negeseuon iddo. Fe roddais i 'fenthyg' arian iddo. Dechreuodd partneriaeth ddatblygu rhwng y ddau ohonom. Ac fe weithiodd hynny er lles i mi.

Roedd fy ffrindiau ysgol yn awr yn rhy ofnus i wneud hwyl ar fy mhen a gan fod enw drwg Albert wedi teithio ymhell ces lonydd yn yr ysgol. Yn 14 oed, fe aeth Albert â fi i dafarn er mwyn i fi yfed fy mheint cynta. Roedd hen biano yn y bar. Gyda'r hyder a ddaw yn sgil alcohol cerddais draw ato a chyfeilio i fi fy hun wrth ganu 'Blue Suede Shoes'. Roedd pawb wrth eu bodd.

Flwyddyn yn ddiweddarach daeth fy nhad o hyd i'r dyddiadur roeddwn wedi'i gadw. Ynddo roedd nodiadau ynglŷn â faint fyddwn wedi'i yfed ac ysmygu a'm gorchestion rhywiol hefyd. Ei ymateb – fy ngwahardd rhag mynd allan yn

llwyr. Ie, 'grounded'! Roeddwn yn cael mynd i'r
ysgol ond ddim i unman arall. Mynnodd fy mod
i'n torri fy ngwallt Teddy boy. Diolch byth fod
Elvis newydd dorri ei wallt er mwyn ymuno â
byddin yr Unol Daleithiau. Roedd y gosb wedi
troi yn fantais.

Roedd fy Lefel O chwe mis i ffwrdd. O
ystyried yr amgylchiadau, doedd dim i'w wneud
ond paratoi ar eu cyfer. A dyna a wnes i gydag
obsesiwn a dygnwch. Fe basiais bob un o'r deg
pwnc gyda graddau uchel iawn. Roedd fy rhieni
wrth eu bodd. Codwyd y gwaharddiad ar fynd
allan. Hefyd, er mawr syndod, roedd Albert wrth
ei fodd! Roedd ei ffrind gorau yn gyfuniad o Elvis
ac Einstein!

Roedd fy rhyddid newydd wedi'i amseru'n
berffaith. Roedd Van's Teen and Twenty Club
newydd agor ym Mynydd Cynffig. Byddai
bandiau'n dod yno bob wythnos ac yn aml,
cawn wahoddiad i ganu ambell gân. Cyfyng
iawn oedd fy repertoire – 'What'd I Say', 'Blue
Suede Shoes', a 'That's All Right, Mama'. Ond
roedd derbyniad da i mi bob tro. Trodd bywyd
yn routine. Dyddiau'r wythnos yn yr ysgol a'r
sylw i gyd ar astudio. Bob noson hefyd o 5.30
tan 9.30 rhoddwn fy holl sylw i waith ysgol.
Ond roedd pob awr effro arall yn cael ei neilltuo
ar gyfer yfed, dawnsio a chanu yn Van's. A mynd

mas gyda merched hefyd, wrth gwrs.

Fy mhynciau Lefel A oedd Ffiseg, Cemeg a Mathemateg. Er fy mod yn weddol dda yn y pynciau hyn doedd gen i fawr ddim diddordeb ynddyn nhw, nac mewn unrhyw bwnc academaidd arall chwaith. Roedd fy niddordebau yn gymysg yn fy obsesiynau ac yn gyfyngedig i ryw, alcohol, a roc a rôl. Rhaid oedd dilyn pob un o'r rhain ag angerdd ac ymroddiad.

Sioc aruthrol felly oedd clywed y prifathro, H. J. Davies, yn dweud wrtha i un diwrnod ei fod am i fi eistedd arholiad Ysgoloriaeth Mynediad Rhydychen. Roedd wyth mlynedd wedi mynd heibio ers i unrhyw un o Ysgol Ramadeg y Garw geisio mynd i Rydychen. Yr un diwetha i drio oedd mab y prifathro, John Davies. Fe aeth i ddarllen Ffiseg yng Ngholeg Balliol. Felly, awgrymwyd y dylwn i wneud yn union yr un peth.

CYMRO ODDI CARTRE

Y<small>N YSTOD HANNER CYNTA</small> Rhagfyr 1963, daeth llythyr wedi'i bostio gan Goleg Balliol, Rhydychen, i'r cartre ym Mynydd Cynffig. Gan fy mod i'n llawn amheuaeth ac yn ansicr, rhoddais y llythyr i Nhad. Wedi iddo'i agor, roedd yr olwg ar ei wyneb yn ddigon i ddangos beth oedd ei gynnwys. Roedd Prifysgol Rhydychen wedi derbyn ei fab.

Aeth y newyddion ar led drwy'r ardal fel tân gwyllt. Roedd Balliol newydd ennill cystadleuaeth *University Challenge* ac fe wnaeth hynny gynyddu'r parch tuag ata i. Doedd hi ddim yn bosib i mi gerdded ar hyd y stryd heb i rywun ddod ata i i'm llongyfarch. Aeth y llwyddiant i fy mhen yn llwyr a dwi wedi bod yn byw ar y profiad byth ers hynny.

Tan i'r tymor cynta ddechrau yn Balliol yn Hydref 1964, roeddwn wedi bod yn dathlu fy llwyddiant. Byddwn yn cadw fy llygaid ar agor drwy'r amser am unrhyw gyfeiriad at Balliol yn y papurau neu ar y teledu. Ond un erthygl yn unig dwi'n cofio'i gweld sef y duedd newydd yn y coleg i smocio mariwana. Doeddwn i ddim yn gwybod dim byd ynglŷn â'r fath beth.

Yn gynnar ym mis Hydref 1964, daeth

y diwrnod mawr. Dechreuais fy mywyd fel myfyriwr yng Ngholeg Balliol. Roedd fy stafell fechan, ddigon diflas yr olwg, ar y llawr gwaelod yn edrych dros St Giles. Dyna'r sŵn traffig gwaetha i fi orfod cysgu drwyddo erioed. Y ffenest yn fy stafell yn Rhydychen roddodd y cyfle cynta i fi weld y byd trwy fariau. Ond yn sicr, nid dyna oedd y cyfle ola!

Daeth dyn oedrannus i mewn a chwalu tawelwch cynnar y bore. 'Fi yw dy scout. George yw'r enw,' meddai. Doedd gen i ddim syniad pwy oedd e na beth oedd e. Ond fe esboniodd taw ei gyfrifoldeb e oedd gwneud fy ngwely, glanhau fy stafell, golchi fy llestri ac ati. Tan hynny, doeddwn i erioed wedi aros mewn gwesty. Doedd neb wedi cario fy mag a doeddwn i erioed wedi bwyta mewn lle bwyta lle roedd pobol yn gweini bwyd i fi. Roeddwn wedi fy syfrdanu!

Fe gwrddais â myfyriwr o'r enw Julian Peto yn gynnar iawn. Fe ddaethon ni'n ffrindiau ac mae wedi aros yn ffrind pennaf i fi tan y dydd heddi. Heblaw amdano fe, doeddwn i ddim wedi dod o hyd i unrhyw un y gallwn ystyried bod yn ffrind iddo fe. Roedd y neuadd ginio yn lle arswydus. Doedd gen i ddim syniad am beth i siarad ac roedd arna i ofn gwneud mochyn o fy hunan wrth y bwrdd bwyd. Doeddwn i ddim yn perthyn i'r bobol hyn ac roeddwn i'n teimlo'n ddigon diflas.

Tueddai pawb arall wrth y bwrdd bwyd i nhrin i'n ddirmygus. Oedden ni'r Cymry yn cynnal perthynas rywiol gyda buchod a defaid? Oedd trydan gen i adre? A beth am ffôn a theledu?

Roedden nhw'n ei chael hi'n anodd deall fy acen Gymreig. Pan fyddwn i'n mentro cynnal sgwrs, bydden nhw'n ymateb yn aml drwy chwerthin yn wawdlyd. Byddai'n rhaid i fi hyd yn oed ailadrodd pob brawddeg. Effaith y cyfan oedd gwneud i fi weld ishe gartre cymaint nes gwneud i fi deimlo'n dost.

Yn ystod y dyddiau cynta, fe aeth Julian a fi i Ffair y Glas yn Neuadd y Dre. Daeth tair merch ddeniadol tu hwnt lan aton ni a gofyn i ni ymuno â Phlaid Geidwadol Prifysgol Rhydychen. Diflannodd Julian yn syth, ond fe gytunais i fod yn aelod. Yr unig reswm dros wneud hynny oedd er mwyn cael cyfle arall i siarad â'r tair merch! Pan glywodd fy rhieni i fi droi at y Toriaid, roedden nhw'n grac iawn a dweud y gwir. Ond wnes i ddim mynd i un o'u cyfarfodydd. Wnes i ddim gweld un o'r tair merch brydferth wedyn chwaith. Ond fe gafodd hyn effaith ffafriol ar y rhai oedd am fy recriwtio i MI6 yn ddiweddarach.

Roedd digon o gyfle i ymlacio yn y tiwtorials

Ffiseg. Ches i ddim trafferth gyda'r rheini. Mi es i i ambell ddarlith yn y Brifysgol, ond wedi deall nad oedd yn rhaid mynd iddyn nhw, es i ddim wedyn. Dechreuais gyfarfod â myfyrwyr Balliol oedd ddim yn astudio gwyddoniaeth fel fi. Yn gyflym iawn, penderfynais fod myfyrwyr y celfyddydau, yn enwedig haneswyr ac athronwyr, yn bobol mwy diddorol o lawer na'r gwyddonwyr. Roedden nhw hefyd yn fwy tebygol o beidio â bod yn gaeth i'r rheolau!

Ymunais ag ambell gymdeithas yn Balliol – y Gymdeithas Fictoraidd oedd un. Y prif weithgarwch oedd yfed cryn dipyn o port, rhywbeth doeddwn i erioed wedi'i wneud o'r blaen. Hefyd, roedd yn rhaid i bob aelod ganu cân Fictoraidd i'r aelodau eraill. Yn ddigon caredig, gadawodd swyddogion y gymdeithas i fi ganu yr un gân bob tro – yr emyn Cymraeg 'Wele cawsom y Meseia' ar y dôn 'Cwm Rhondda'.

Roedd fy anturiaethau rhywiol wedi'u cyfyngu i'r merched oedd ddim yn perthyn i'r Brifysgol. Cymerais yn ganiataol nad oedd merched y Brifysgol yn debygol o fod ishe mynd i'r gwely gyda fi – na mynd gyda neb arall chwaith. Tyfodd y ffordd hon o feddwl o nghefndir Cymreig, dwi'n siŵr. 'Nol adre, doedd dim y fath beth â merched oedd yn astudio'n gydwybodol ac yn fodlon mynd i'r gwely hefyd. Y rhai oedd yn fodlon oedd y merched oedd wedi gadael ysgol yn gynnar ac yn gweithio yn Woolworths. Merched eraill nad oedd yn fodlon oedd y rhai a aeth i golegau nyrsio neu i ddilyn cwrs i fod yn ysgrifenyddes.

Chwalwyd y camargraff hwn yn ystod wythnos ola tymor y Nadolig. Gwnes ffŵl llwyr o'n hunan wrth geisio dynwared Elvis mewn dawns. Roedd y prif berfformwyr, The Blue Monk and his Dirty Habits, yn cymryd hoe. Ond yn ddigon rhyfedd, oherwydd hyn, fe ddechreuais berthynas â Lynn Barber o Goleg St Anne. Mae'n cyfeirio at ein perthynas yn ei llyfr, *An Education*. O hynny ymlaen, doedd dim angen i fi droi rhagor at ferched Woolworths! Y Nadolig hwnnw, 'nol â fi i'r Cymoedd yn berson tipyn hapusach na'r un adawodd ddeufis ynghynt.

Yn Rhydychen, fe wnes i ffrindiau â Henry Hodge. Yn ddiweddarach yn ei yrfa, daeth yn Brif Farnwr Mewnfudo. Byddai'n aml yn siarad am ei ffrind, Denys Irving. Roedd e wedi cymryd blwyddyn yn teithio rhai o wledydd egsotig y byd a chefais wahoddiad i'w gyfarfod. Roedd Denys wedi dod â mariwana gydag e, ar ffurf kiff o Moroco. Cyn hynny, roeddwn wedi clywed ambell un yn sibrwd bod cyffuriau'n cael eu cymryd yn y coleg. Roeddwn hefyd yn gwybod bod mariwana'n boblogaidd iawn ymhlith pobol o'r Caribî oedd yn byw ym Mhrydain, dilynwyr jazz, beatniks o America. Byddai rhai pobol academaidd ym Mhrydain hefyd yn ei gymryd, pobol a gâi eu galw'n 'angry young men'. Er nad oeddwn wedi cymryd unrhyw gyffuriau fy hun, eto i gyd derbyniais y joint a wnaeth Denys ei gynnig i fi.

Roedd yr effaith yn rhyfeddol o fwyn, ac fe barodd am sbel. Ar y dechrau, roedd gen i'r teimlad fod ieir bach yr haf yn fy stumog ond heb yr ofnau oedd yn gallu dod gyda nhw. Yn gyflym wedyn, daeth awydd i chwerthin ac i ymateb a dehongli pob sgwrs o'm cwmpas. Fe ddes yn ymwybodol iawn o'r gerddoriaeth wedyn – 'Please, Please Me' gan James Brown.

Nesa, fe ddes i'n ymwybodol bod amser yn arafu. Ac yn ola, roedd chwant bwyd aruthrol arna i. Rhywsut, does neb yn cofio sut, llwyddodd pob un ohonon ni i gyrraedd y Moti Mahal. Profiad cynta arall – bwyd Indiaidd – a dwi wedi bod yn gaeth iddo byth ers hynny. Does dim modd dweud i ble y gall cymryd canabis eich arwain!

Ar ôl bwyta bhajis, kurmas, pilaos, doopiazas, a chyrris eraill, roedd effaith y mariwana wedi diflannu. Fe wnes i wahodd fy ffrindiau newydd 'nôl i'm stafell yn Balliol. Yn eu plith roedd Joshua Macmillan, ŵyr y cyn Brif Weinidog a

Changhellor Prifysgol Rhydychen, a hefyd Mac sef Hamilton McMillan. Fe wnaeth fy recriwtio i'n ddiweddarach i ymuno â'r MI6. Yn fy stafell, bu arbrofi pellach gyda mariwana.

Ychydig yn ddiweddarach bu farw Joshua Macmillan wedi iddo gymryd gorddos o gyffuriau ac alcohol. Y diwrnod ar ôl iddo farw, roedd neges yn aros amdana i oddi wrth Ddeon y Coleg, Francis Leader MacCarthy-Willis-Bund. Roedd am fy ngweld yn syth. Fe es i draw i'w stafell a chael fy sgwrs gynta erioed gydag e. Wnaeth e ddim gwastraffu amser. Dywedodd y byddai marwolaeth Joshua yn sicr o ddenu diddordeb y wasg. Roedden nhw'n debygol o ofyn mwy am y defnydd o gyffuriau yn y Brifysgol ac yn Balliol yn benodol.

Roedd y Deon wedi dechrau ei ymchwiliad ei hun cyn i'r wasg ddangos diddordeb. Daeth yn syth at y pwynt. Dywedodd fod ganddo resymau da dros ddechrau'r ymchwiliad gyda fi. Oeddwn i'n cymryd cyffuriau? Pwy arall oedd yn gwneud? Ble roeddwn i'n eu cymryd? Dywedais fy mod wedi ysmygu mariwana ychydig o weithiau. Ond doeddwn i ddim yn barod i roi enw unrhyw un arall oedd wedi gwneud yr un peth. Roedd y Deon yn edrych yn falch iawn nad oeddwn i'n barod i enwi myfyrwyr eraill. Dydw i ddim wedi anghofio'r olwg ar ei wyneb, edrychiad sy wedi fy nghario trwy sawl sesiwn digon cas o gwestiynu ers hynny.

Cyhoeddodd y *Sunday Times* erthygl o dan y pennawd 'Confessions of an Oxford Drug Addict'. Roedd erthyglau eraill tebyg mewn papurau newydd eraill. Roedd y myfyrwyr mwya annisgwyl yn fodlon cyfadde, wrth ohebwyr a ddaeth i'r Coleg, fod ganddyn nhw gysylltiadau amrywiol â'r diwylliant cyffuriau yn Rhydychen. Trwy ddamwain, roeddwn wedi cymryd fy nghyffuriau cynta ychydig ddyddiau'n unig cyn y drychineb. O ganlyniad, ces statws un o arloeswyr y sîn cyffuriau. Wnes i ddim byd i gywiro'r camargraff hwnnw.

Roedd y Proctors, heddlu'r Brifysgol, ishe siarad â fi. Gofynnais yn syth am gyngor y Deon. Erbyn hynny roedd e'n becso cryn dipyn am y sylw anffodus roedd Balliol yn ei dderbyn. Dechreuais hoffi a pharchu'r Deon yn fawr iawn. Roedd yn ymddangos bod ganddo ofal tadol drosta i hefyd. Dechreuodd siarad am ei fywyd. Pwysleisiodd ei gyfnod fel proctor, gan ddweud eu bod yn grŵp digon gwael o bobl. Awgrymodd yn garedig y dylwn ymddwyn o'u blaen yn union fel roeddwn wedi'i wneud pan wnaeth e fy holi i gynta.

Wyneb yn wyneb â'r proctors felly, gwrthodais ateb unrhyw gwestiwn ar y sail ei fod yn erbyn fy moesau i gyhuddo unrhyw un arall. Cefais fy rhyddhau o'r cyfarfod gyda'r bygythiad y byddwn i'n clywed oddi wrthyn nhw eto, a hynny'n ddigon swrth.

Roedd y Deon yn aros amdana i'r tu fas. 'Wnest di sefyll lan drosta ti dy hun o flaen y ddau gnaf yna?' gofynnodd. Dywedais fy mod wedi gwneud hynny, ond gan ychwanegu fy mod yn ofni y bydden nhw'n fy nghosbi am i mi wrthod eu hateb. Ymateb y Deon oedd dweud pe byddai hynny'n digwydd, yna byddai'n rhaid iddyn nhw ddelio â'i ymddiswyddiad yntau. Roeddwn yn ei gredu. Ac o'r foment yna ymlaen, roedd cwlwm cyfeillgarwch rhwng y ddau ohonon ni nad oedd yn bosib ei dorri.

Yn ystod gwyliau hir 1965, daeth Henry Hodge a Mac i aros ata i ym Mynydd Cynffig ar adegau gwahanol. Fe es i â'r ddau i dŷ fy mam-gu a'n nhad-cu. Doedd dim tŷ bach na stafell molchi ganddyn nhw yn y tŷ. Fe es i â nhw i dafarndai nad oeddent yn cau pe bai unrhyw un ar ôl i brynu diod alcoholig. Dim ond yn ddiweddar roedd y tafarndai wedi dechrau agor yn swyddogol ar y Sul. Felly, roedd cael yfed yn gyfreithiol ar y Sabath yn dal i fod yn rhywbeth a oedd yn werth ei ddathlu i'r eitha. Pleidleisio o blaid agor ar y Sul a dros fy Wncwl Mostyn, pan safodd fel Cynghorydd Sir, oedd yr unig ddwy bleidlais i fi eu rhoi erioed.

Roedd fy nau ffrind wedi ymweld â Chymru o'r blaen. Roedd Mac wedi bod i'r Eryri ar gwrs antur awyr agored wedi'i drefnu gan ei ysgol breifat. O ganlyniad roedd yn credu bod Cymru gyfan fel Ucheldir yr Alban. Roedd gan ei dad-cu ystad enfawr yn y fan honno, yn llawn grugieir a chŵn hela. Bu Henry ym Mhortmeirion unwaith ar wyliau gyda'i rieni. Credai fod Cymru yn un anialwch gwlyb o wair gwyrdd ar lan y môr, gydag ambell le i'r boneddigion aros o bryd i'w gilydd. Dyma ble roedd labrwyr fferm a oedd yn shelffo defaid, gan gyffwrdd â'u capiau ac yn ufuddhau i bob gorchymyn gan y toffs.

Fe es i â nhw i rai o'r cymoedd glo gerllaw. Dangosais y tomenni slag, y rhesi o dai teras ac ambell i bwll oedd yn dal i weithio. Fe welson nhw hefyd gapeli di-ri a dim prinder o dafarndai lle byddai dynion yn unig yn gallu yfed hyd at 40 peint ar y tro. Roedd y dystiolaeth yma'n ddigon i gadarnhau'r straeon lliwgar roeddwn i wedi'u hadrodd yn y coleg yn ystod y flwyddyn flaenorol. Roedd Henry a Mac yn fwy nag embarrassing yn ystod eu hymweliadau. Roedden nhw'n mynnu galw pob dyn a weithiai y tu ôl i'r bar yn Landlord. A hefyd roedden nhw'n gofyn am bob math o goctels dieithr mewn acenion posh fel pobol y BBC.

Gan ei bod ym fis Medi, roedd gweithgarwch hyfforddi rygbi wedi hen ddechrau. Roedd casgliadau amrywiol o ddynion i'w gweld ar bob darn o dir gwastraff. Canlyniad yr holl frwdfrydedd corfforol yma oedd gobeithion tîm rygbi Cymru yn y blynyddoedd i ddod, wrth gwrs. Mae Mynydd Cynffig yn union ynghanol yr ardal gymharol fechan honno o Gymru a gaiff ei galw yn 'The Valleys'. Tua mil o filltiroedd sgwâr o gymoedd a bryniau o'r lle y daw'r rhan fwyaf o dîm Cymru fel arfer. A does dim prinder dynion i drafod a dadansoddi gan y rhai sydd ddim yn chwarae eu hunain. Y bobol hynny sy'n anadlu rygbi ac yn llyncu cwrw er mwyn torri syched dwst y glo ac er mwyn meddwi'n dwll.

Roedd gweithgarwch y dynion yma'n dipyn o sioc i Mac a Henry. Roedden nhw'n ffans rygbi go iawn. Ond ar sail eu profiadau yn yr Alban a Lloegr, gêm y dosbarth uwch oedd rygbi iddyn nhw. Gêm y crachach. Roedd y gêm wedi'i meithrin yn yr ysgolion preifat hynny ar draws y ddwy wlad. O safbwynt y ddau ffrind, y dosbarth gweithiol oedd yn chwarae pêl-droed bob cyfle posib.

Felly, roeddwn yn dechrau gweld Cymru trwy lygaid rhai oedd ddim yn Gymry. Roedden nhw'n gweld yr ardal lle roeddwn i wedi cael fy magu fel gogledd Lloegr. Cartre pobol galed, cydnerth cyhyrog a oedd yn gweithio'n galed, yn yfed yn galed ac yn siarad ag acenion cryf – felly doedd e ddim yn bosib eu deall. Pobol gyfeillgar, rhydd eu moesau, dim nonsens a cherdyn undeb yn eu pocedi ôl. Roedd eraill yn dangos i fi eu bod yn credu bod y Cymry'n llwyr ymwrthodwyr, yn xenoffobaidd, diog, swrth, Piwritanaidd. Yn bobol estron – felly, yn methu mynegi eu hunain yn dda, pobol syml a oedd yn casáu'r Saeson ond am fod yn debyg iddyn nhw yr un pryd. Roedd llawer wedi'u drysu'n llwyr a heb unrhyw syniad clir o beth oedd bod yn Gymro.

O ganlyniad, fe ddes i'n ymwybodol o raniadau yng Nghymru fy hun am y tro cynta. Rhaniad y de a'r gogledd, er enghraifft. Doedd gen i ddim syniad o'i fodolaeth cyn mynd i Rydychen. Wrth gwrs, dyw e ddim yn rhaniad rhwng de a gogledd go iawn. Ond roedd rhyw raniad gwrth ddiwydiannol rhwng pobol y gogledd, y canolbarth a'r gorllewin gwledig oedd yn siarad Cymraeg, a phobl y de- ddwyrain ddiwydiannol, oedd yn siarad Saesneg ac yn fwy sosialaidd a rhyngwladol eu naws.

Yn ystod fy nwy flynedd nesa yn Rhydychen wnes i ddim colli fy acen Gymreig. Doeddwn i ddim yn gallu gwneud hynny. Ond, roeddwn yn teimlo'n llai ac yn llai o Gymro. Collais

51

ddiddordeb mewn rygbi. Collais ddiddordeb ym mhob peth arall oedd yn ymwneud â Chymru. Roedd y cyfan yn rhy blwyfol, yn rhy gyfyng, yn gul ac yn ddibwys.

Roeddwn yn credu fy mod yn rhan o fyd mwy, byd o ddiwylliant, cenhedloedd a chrefyddau amrywiol. Byd o gyffuriau heblaw alcohol. Cerddoriaeth heblaw emynau. Byd o ryddid a chariad. Roedd yn fyd y gallwn wneud gwahaniaeth iddo trwy brotestio yn erbyn hiliaeth, homoffobia ac agwedd ryfelgar America. Roedd cyfle i fi gyfrannu ar lwyfan mwy eang nag y gallai unrhyw gwm neu ddyffryn ei gynnig i fi.

CYMRO DROS Y MÔR

Syrthiais mewn cariad â merch brydferth iawn o Latfia, Ilze Kadegis. Hi oedd yr un roedd dynion Rhydychen am fynd gyda hi'n fwy na neb arall. Er mawr syndod, syrthiodd mewn cariad gyda fi hefyd. Buodd y ddau ohonon ni'n byw gyda'n gilydd yng nghanol ebargofiant myglyd y chwedegau. Tua diwedd Rhagfyr 1967, priododd y ddau ohonon ni yng nghapel Annibynwyr fy rhieni ym Mynydd Cynffig. Hyd y dydd heddi, does gen i ddim syniad pam i ni gymryd y cam rhyfedd hwnnw. Doedd dim bwriad gennym i gael plant. Doedd dim arian gyda ni ac Ilze ar fin mynd yn athrawes gynradd am gyflog bychan. Roeddwn i ar fy ffordd i Duw a ŵyr ble. Cawson ni fis mêl o un noson mewn gwely a brecwast ym Mro Ogwr, un o'r llond dwrn o nosweithiau i fi dreulio yng Nghymru ers Medi 1965.

Ar ôl graddio, mi wnes i ddiflasu'n fuan iawn ar ddysgu yn Llundain. Roeddwn i'n gweld ishe bywyd Rhydychen – y bywyd y tu fas i'r bywyd academaidd, hynny yw. Roeddwn am fynd 'nôl gan fod fy ngradd mewn Ffiseg Niwclear yn ddigon da i fi allu dilyn cwrs pellach. Ond roeddwn am astudio'r Dyniaethau yn hytrach na sut i chwythu rhannau helaeth o'r byd yn ddarnau. Fe wnes i gais i fynd 'nôl a chefais fy nerbyn i wneud diploma mewn Hanes ac Athroniaeth Gwyddoniaeth. Ond roedd problem ynglŷn ag ariannu'r diploma. Doeddwn i ddim yn gallu cael arian gan y Weinyddiaeth Addysg na chwaith gan y Cyngor Ymchwil Gwyddonol. Nhw oedd y ddwy brif ffynhonnell ariannu. Doedd dim gobaith gen i gan nad oedd fy nghais yn ateb eu gofynion.

Ond roedd cyfrol drwchus ar gael yn cynnig rhestr o fudiadau a oedd yn ariannu ymchwil ôl-radd. Des ar draws Ysgoloriaeth Thomas ac Elizabeth Williams. Dim ond pobol a oedd yn byw mewn rhai ardaloedd penodol o Gymru oedd yn gallu gwneud cais am yr ysgoloriaeth hon. Diolch byth, roedd Mynydd Cynffig yn un o'r ardaloedd hynny. Ar y pryd, roedd fy Wncwl Mostyn, brawd fy mam, yn Gadeirydd Cyngor Sir Morgannwg. Dyna i chi fudiad a oedd yn agored , mae'n siŵr gen i, i ddylanwadau teuluol! Gofynnais iddo am Ysgoloriaeth Thomas ac Elizabeth Williams. Trefnodd i fi gael cyfweliad gan ymddiriedolwyr yr ysgoloriaeth ac fe aeth yn dda iawn. Cytunwyd i roi fy ffioedd i gyd i fi a grant cynnal hefyd.

Daeth Cymru i'm hachub. Ond, fy ymateb oedd troi fy nghefn ar y lle oedd yn fodlon fy helpu. Penderfynais ddilyn gyrfa yn smyglo cyffuriau yn lle hynny.

Mae manylion y smyglo cyffuriau a'r achosion llys cysylltiedig wedi'u hen gofnodi a does dim pwrpas mynd ar eu hôl unwaith eto. Ond o bryd i'w gilydd, ar y teithiau tramor anturus hynny, roeddwn yn dod ar draws Cymry a fu'n ddylanwad mawr ar fy mywyd. Rhoddodd ambell gysylltiad â Chymru dipyn o help i fi hefyd.

Yn ystod 1984, fe wnes i ymweld â Bangkok. Yn y *Bangkok Post*, darllenais is-bennawd yn dweud, 'Wales Hopes to Export its Water'. Roedd yr erthygl yn esbonio sut roedd Awdurdod Dŵr Cymru yn bwriadu gwerthu eu cyflenwadau dŵr dramor. Roedd y dŵr yn cael ei storio yn Aberdaugleddau, y porthladd naturiol mwyaf a phorthladd mewnforio olew mwyaf Prydain hefyd. Yn ôl yr erthygl, byddai tanceri'n cael eu llwytho gyda dŵr ffres o danciau storio'r porthladd. Esboniodd yr erthygl fod prinder dŵr mewn sawl gwlad a bod y cynllun hwn yn fwy tebygol o weithio i gwrdd â'r galw am ddŵr na'r cynllun blaenorol o'i gael o fynyddoedd iâ'r Arctig.

Roeddwn i'n awyddus iawn i fod yn rhan o'r busnes hwn. Roedd Drinkbridge, enw'r cwmni gwin roeddwn newydd ei sefydlu, yn enw hynod o addas ar gyfer busnes o'r fath. Penderfynais gyflwyno fy hun i Fwrdd Dŵr Cymru fel y dyn a fyddai'n gallu prynu'r biliynau o alwyni o ddŵr oddi wrthyn nhw. Yn gynta, roedd angen i fi ddysgu popeth y gallwn i ynglŷn â'r pwnc. Fyddai hynny ddim yn anodd. Gallwn ddarllen llyfrau a chyflogi ymchwilydd. Byddai angen cymwysterau arna i hefyd. Cardiau busnes. Papur busnes Drinkbridge nad oedd grawnwin na photeli gwin yn cael ei ddangos arno, a chyfri banc. Roedd gen i fwriad i fynd i Hong Kong cyn mynd 'nôl i Ewrop a sortio popeth fel hyn yno.

Dim ond taith ychydig oriau mewn car o Fynydd Cynffig roedd swyddfeydd Dŵr Cymru. Am wythnos gyfan, bues i'n darllen popeth am drosglwyddo dŵr ar raddfa eang. Fe wnes apwyntiad i weld Roy Webborn, Cyfarwyddwr Cyllid Cynorthwyol yr Awdurdod. Dywedais wrtho fy mod yn cynrychioli syndicet o ddynion busnes o'r Dwyrain Pell a oedd â diddordeb mewn prynu tanceri'n llawn dŵr er mwyn eu cludo i Saudi Arabia. Esboniodd Webborn nad oedd yn bosib allforio Dŵr Cymru ar raddfa eang eto, er bod digonedd ohono yn y bryniau. Hefyd roedd tanceri olew yn gadael Aberdaugleddau a dim mwy na ballast dŵr y môr. Pe bai unrhyw fusnes yn barod i dalu am adnoddau llwytho dŵr ffres yn Aberdaugleddau, yna roedd yr

Awdurdod Dŵr yn barod i dalu am gludo'r dŵr
o'r bryniau i'r porthladd a'i werthu'n rhad.
Rhoddodd lwyth o adroddiadau labordy i fi a
hefyd daflenni lliwgar mewn sawl iaith.

Roedd un o fy nghysylltiadau yn Bangkok
yn ariannu ymchwil i wneud papur o blisgyn
reis. Roedd yn y broses o gyflwyno'r cynllun i
gonsortiwm o ddynion busnes o Saudi Arabia a
Thailand, o dan arweiniad Sheikh Abdularaman
A. Al-Rrajhi. Yn ôl y Guinness Book of Records,
fe oedd y dyn cyfoethoca yn y byd. Os byddai'r
pwyllgor yn hoffi'r cynnig, byddai'r bobol o
Saudi yn adeiladu melin bapur reis yn Thailand.
Dywedais wrth fy ffrind am gynllun y tanceri
dŵr. Cynigiais gyflwyno cynllun Dŵr Cymru yn
yr un modd.

Roedd y dogfennau i gyd gen i yn Bangkok,
yn barod i greu argraff ffafriol. Gyda chryn
ymdrech, teipiais adroddiad i'w gyflwyno.
Doedd e'n ddim byd mwy nag ail ysgrifennu
deunydd Awdurdod Dŵr Cymru a'i bastio ar
bapur swyddogol Drinkbridge Hong Kong Cyf.
Roedd gwasanaethau ysgrifenyddol yr Oriental
Hotel wedi gwneud i'r holl beth edrych yn
dda. Cyflwynais yr adroddiad. Roedd hyd yn
oed gyfeiriad ato yn rhifyn Mawrth 1984 o'r
cylchgrawn *Tatler*.

Ddaeth dim byd o'r cynllun. Ond fe wnes

i barhau i ddefnyddio'r cysylltiad fel esgus i
fod allan yn y Dwyrain Pell. Ar un achlysur,
flwyddyn yn ddiweddarach, roeddwn wedi
mynd trwy Reolaeth Pasbort Terminal 3 Maes
Awyr Heathrow. Roeddwn ar fin mynd ar
yr awyren ar gyfer taith i Karachi. Ond ces
fy stopio gan blismon nad oedd yn gwisgo
iwnifform.

'Rydyn ni am siarad â phobl sy'n teithio i'r
Dwyrain, syr. Ai i Karachi rydych chi'n mynd?
Neu i rywle arall yn Pacistan?'

'Dwi'n cwrdd â rhywun yn Karachi.'

'Cyfarod busnes, syr?'

'Ie.'

'Ga i ofyn beth yw eich busnes, syr?'

'Rwy'n gwerthu dŵr.'

'Dŵr?'

'Ie, dŵr. Dŵr o Gymru, a dweud y gwir.'

'Galw mawr am ddŵr Cymru yn Pacistan,
oes e syr?'

'Dim hyd y gwn i. Ond mae galw mawr
amdano yn Saudi Arabia. A dwi'n cyfarfod
â'r Sheikh Abdularaman A. Al-RajhiAlraji yng
ngwesty'r Sheraton, Karachi. Mae sawl busnes
ganddo yn Pacistan. Dwi'n ei gyfarfod yno fel
arfer.'

'Ga i weld eich pasbort os gwelwch yn dda,
Mr Marks? Dwi'n gweld eich bod wedi ymweld

â Karachi sawl gwaith yn yr wythnosau
diwetha. Bangkok hefyd. Ydi'r Sheik yn hoffi
eich cyfarfod yno hefyd?'

'Mae'r cwmni dwi'n gweithio iddyn nhw
wedi'i leoli yn Hong Kong. Mae awyrennau o
Hong Kong i Karachi fel arfer yn gorfod teithio
trwy Bangkok. Felly, dwi'n cymryd mantais o'r
cyfle i fod yn Bangkok am ychydig ddyddiau.'

'Diolch, Mr Marks. Mwynhewch eich taith.
Gwerthwch ddigon o ddŵr.'

Doeddwn i ddim yn gwybod hynny ar y
pryd, ond roedd swyddogion yr Adran Tollau
a Threthi yn gwybod pwy oeddwn ac wedi fy
holi. Roedden nhw ar fy ôl.

Ar ddechrau 1988, fel rhan o fy ngwaith fel
asiant teithio y tro hwn, roeddwn ar fy ffordd
i Taiwan. Roeddwn yn gyd-berchennog yng
nghwmni Hong Kong International Travel
Centre, yr asiantaeth deithio fwya i'r Dwyrain
Pell yn y Deyrnas Unedig. Roeddwn yn Taiwan
i weld rhai o uwch-gynrychiolwyr cwmni
hedfan y wlad, China Airlines. Fe wnaethon
ni gyfarfod mewn bar o'r enw Hsaling a oedd
yn boblogaidd iawn gydag ymwelwyr o'r
Gorllewin. Ar ddiwedd y cyfarfod, gwasgodd
tri dyn o Seland Newydd eu hunain i mewn
i'r ddwy sedd wrth fy ochr. Roeddwn yn yfed
wisgi a dŵr mewn gwydrau ar wahân. Yn

ddigon lletchwith, fe wnes i sarnu diod dros un o'm cyfeillion newydd. Ymddiheurais yn fawr.

'Ydych chi'n Gymro?' gofynnodd, gan sychu'r dŵr yr un pryd.

'Odw.'

'Ydych chi siarad Cymraeg?'

'Odw.'

'Roy Middleton. Braf eich cyfarfod.'

'Howard Marks. Sorri am y dŵr.'

'Paid â becso. Dim dŵr o Gymru yw e, ife?'

'Fydden i ddim yn meddwl hynny, Roy. Ond, wedi dweud hynny, rhai blynyddoedd yn ôl roeddwn i'n trio allforio'r stwff o Gymru i'r dwyrain. Falle fod rhywun wedi dwyn fy syniad.'

'Ai dyna dy fusnes felly, Howard? Dŵr?'

'Na, rhyw asiant teithio digon di-nod ydw i'r dyddiau hyn. Ond roeddwn i'n arfer potsian mewn sawl gwahanol fath o fusnes. Beth amdanat ti? Wyt ti'n ddyn dŵr?'

'Dim o gwbl. Gadawais i Gymru er mwyn osgoi bod yn wlyb! Dwi'n gweithio i lywodraeth Seland Newydd nawr. Mae'n swnio'n ddigon crand ond y cyfan dwi'n wneud yw holi pobol Taiwan sydd am symud i Seland Newydd.'

'Oes asiant teithio da gyda chi?'

'Does dim asiant teithio swyddogol gyda ni,

nag oes. Os yw dy brisiau'n ddigon cystadleuol, bydden i wrth fy modd yn rhoi'r cytundeb i gyd-Gymro. Ond erbyn meddwl, Howard, pam na wnei di drio denu busnes o Taiwan i Gymru? Bydde hynny'n dod â swyddi i'r ardal. Mae digonedd o ffatrïoedd Siapaneaidd yng Nghymru'n barod a Taiwan yw'r Siapan newydd.'

'Pam dy'n nhw ddim yng Nghymru'n barod?'

'Oherwydd, Howard, does dim un Cymro wedi cynnig cynllun busnes digon deniadol iddyn nhw – trethi ffafriol, amodau byw a chynlluniau byw yno dros hir dymor. Pam na fyddi di'r person cynta i sefydlu ffatri gan bobol o Taiwan yng Nghymru?'

'Ble galla i ddod o hyd i bobol o Taiwan fydd â diddordeb yn y fath gynllun?'

'Dwi'n gweld hyd at ugain bob dydd.'

Yn hwyrach y flwyddyn honno, roeddwn 'nôl yn Rhydychen. Bob saith mlynedd bydd cyn-aelodau Coleg Balliol yn cael gwahoddiad i fynd 'nôl yno ar gyfer aduniad. Roeddwn wedi graddio yn 1967. Er mod i wedi anwybyddu gwahoddiadau 1974 a 1981, derbyniais wahoddiad Mehefin 1988. Roedd yn rhyfedd cerdded drwy'r cwad yng Ngholeg Balliol unwaith eto a gweld nad oedd fy nghydfyfyrwyr wedi newid fawr ddim mewn ugain mlynedd. Cydiwyd yn yr hen gyfeillgarwch yn ddigon rhwydd. Doedd neb i'w weld yn anfodlon oherwydd fy ngorchestion ym myd smyglo hashish. Dim ond diddordeb mawr a lot o gwestiynau cwrtais.

Roedd un o'm cyd-fyfyrwyr, Cymro arall o'r enw Peter Gibbins, yn academydd llwyddiannus iawn. Yn ystod gwyliau'r coleg, roedd yn cynnal seminarau technoleg gwybodaeth. Byddai rheolwyr cwmnïau o bob cornel o'r byd yn dod i wrando arno. Dechreuodd y ddau ohonon ni siarad am Taiwan. Fe fuon ni'n trafod yr angen yn y wlad honno am fwy o wybodaeth ynglŷn â dulliau busnes Ewropeaidd. Gofynnodd Peter a fyddwn yn gallu recriwtio pobol o Taiwan i ddod i gyfres o seminarau y byddai e'n eu trefnu. Byddai'n sicrhau siaradwyr academaidd o safon. Awgrymodd y byddai'n bosib trefnu ystafelloedd lle gallai'r bobol aros yn Balliol.

'Nôl â fi at Roy felly, a gyda'i help e, ces gytundeb gyda chwmni China Metal i agor ffatri yn ne Cymru. Ac ar ben hynny, roedd nifer o reolwyr diwydiannol wedi dangos diddordeb mewn dod i seminarau Rhydychen.

Ond ar 25 Gorffennaf 1988, ces fy arestio. Terre Haute oedd o'm blaen i nawr, yn hytrach na datblygu diwydiant Taiwan yn ne Cymru.

Roeddwn yn Sbaen ar y pryd. Yn ystod, 1984 roedd Cyllid y Wlad wedi dechrau dod ar fy ôl. Awgrymodd fy nghyfrifydd felly y dylwn symud i fyw tramor. Roedd Sbaen yn swnio'n opsiwn addawol. Felly fe wnes i hedfan i Palma de Mallorca ac aros yn fflat ffrind i fi wrth chwilio am le i fyw.

Roedd yr ardal o gwmpas fflat fy ffrind yn gwireddu'r holl hunllefau ynglŷn â gwyliau pecyn. Roedd y strydoedd yn llawn hwliganiaid pêl-droed o Brydain yn codi stŵr a sgrechian heb ddim rheswm o gwbl. Dyna lle roedd y tafarndai Seisnig yn gwegian o dan enwau fel London Pride, Rovers' Return, Benny Hill, a Princess Di. Roedd y lager louts yn arllwys allan ohonyn nhw i ganol masnach plastig – strydoedd y fish a'r chips a'r discos. Ond yn rhyfedd iawn, doedd fawr ddim ymladd. Byddai casgliad tebyg o bobol swnllyd o dan ddylanwad alcohol ar y stryd ym Mhrydain yn sicr wedi arwain at riot ymhen dim.

Fe wnes i logi car er mwyn edrych o gwmpas yr ynys. Yn gyflym iawn, trodd arogl cwrw a chyfog yn bersawr melys ceirios ac almon. Mae'r rhan fwyaf o Majorca yn wag ac yn heddychlon o brydferth. Mae'r mynydd ucha yn uwch nag unrhyw fynydd yn y DU. Wrth droed y mynydd hwnnw, mae 'na bobol yn byw sydd heb weld y môr o gwbl a hwnnw ond rhyw dri deg milltir i ffwrdd. Mae pentrefi bychain yn crogi oddi ar y bryniau. Dyma lle ma rhai o artistiaid, cerddorion ac awduron gorau'r byd yn hoffi cuddio. Mae dinas Palma yn gymysgwch hyfryd o adeiladau Eidalaidd o'r Canol Oesoedd a rhai o gyfnod y Moors. Roedd pobol yn smygu hash yn y stryd. Roedd y tywydd yn berffaith.

Rhyw chwe chan mlynedd yn ôl roedd un pentre bach yn Majorca, Es Vinyet, yn enwog am ei gwinwydd. Ond fe ddinistriodd pla'r gwinwydd a diflannodd Es Vinyet am rai canrifoedd. Ar ddechrau'r ganrif ddiwetha, atgyfodwyd y pentre gan lond dwrn o ffermwyr. Cafodd ei ail enwi'n La Vileta. Trodd o fod yn ardal wledig i fod yn bentre i bobol oedd am weithio yn Palma. Heidiodd seiri coed a charreg yno ac fe gafodd hynny ddylanwad ar siâp y pentre. Mae nifer o adeiladau rhyfedd yno. Fe brynais i un ohonyn nhw. Adeilad tri llawr a oedd yn 150 mlwydd oed. Roedd ganddo welydd carreg troedfeddi o drwch. Yn yr ardd fechan, roedd pump palmwydden yn brwydro am eu lle. Mae digon o fariau yn La Vileta, ac fel yn y rhan fwyaf o fariau Sbaen, maen nhw'n gweini bwyd digon derbyniol.

Ond dim ond un tŷ bwyta go iawn sydd yn La Valeta, o'r enw, Restaurante La Vileta. Cymro yw'r perchennog, Bob Edwardes, o Ogwr. Yn naturiol ddigon, fe ddaethon ni mlaen yn dda iawn.

Esboniodd fod nifer o Gymry yn byw yn Mallorca. Roedd hyd yn oed bar piano Cymreig ym mhen ucha'r ynys a bydd Air Wales yn cynnig teithiau cyson o Gaerdydd i'r ynys. Enw Gwesty mwyaf egscliwsif Palma yw *Casa Gales*.

Yn ôl Bob, roedd y Sbaenwyr yn parchu'r Cymry yn fawr iawn. Roedd hyn yn mynd 'nôl i ddyddiau Rhyfel Cartre Sbaen pan ymunodd cymaint o Gymry yn y frwydyr yn erbyn Ffasgaeth yn y wlad. Yn Deja, cartre'r awdur Robert Graves, roedd pobol yno a oedd yn gallu siarad Cymraeg a Mallorquian, y dafodiaith Gatalaneg lleol.

Daeth Bob yn un o'm ffrindiau gorau. Fe oedd y cynta i ddod i'm gweld yn y carchar yn Indiana a byddai'n ysgrifennu ata i'n gyson.

Mae'n eironig mai'r blas diwetha o ryddid ges i cyn cael fy arestio, oedd mwynhau ambell beint yn Taffy's Bar, Magaluf.

O UN GYMRU I'R LLALL

BU FARW FY NHAD ym mis Hydref 1996, mis ar ôl cyhoeddi'r llyfr *Mr Nice*. Penderfynais fynd 'nôl i gartre'r teulu a lan i'r atig. Hon oedd fy stafell wely pan oeddwn yn fy arddegau. Ers y dyddiau hynny, roedd yn fan lle'r oedd popeth doedd ddim yn cael ei ystyried yn bwysig ar y pryd yn cael ei daflu. Dyna lle roedd tomenni o hen lyfrau ysgol, toriadau o hen gylchgronau DIY a dogfennau a oedd wedi melynu. Roedd gan y rhain rhyw arwyddocâd ar un adeg i rai o'm cyndeidiau, mae'n siŵr. Ond doeddwn i ddim yn gwybod fawr ddim am fy nghyndeidiau. Am y tro cyntaf yn fy mywyd, cododd awydd arnaf i wybod mwy amdanyn nhw. A gorau po gynta i fi ddechrau neu fyddai dim teulu gen i ar ôl i'w holi.

Aelod hyna'r teulu ar ochr fy mam oedd chwaer fy nhad-cu, Ben. Roedd ganddi'r enw mwya anarferol, Afon Wen. Heb os, roedd yn berl ddigon garw. Roedd yn byw, er mawr siom iddi, mewn cartre hen bobol rhwng Cynffig a Mynydd Cynffig, rhwng yr M4 a'r fferm garthffosiaeth roedd hi yn ei galw'n ffatri bersawr!

Trwy gyd-ddigwyddiad rhyfedd, Afon Wen oedd enw'r llong-dynnu a laniodd 15 tunnell o mariwana Colombaidd ar ynys Kerrera oddi ar arfordir yr Alban. Fi gafodd ei gyhuddo o drefnu'r holl beth. Ond wedi achos o naw wythnos yn yr Old Bailey, ces fy rhyddhau. Roeddwn wedi llwyddo i argyhoeddi'r llys fy mod yn sbïwr. Er ei fod yn gyd-ddigwyddiad rhyfedd, dwi'n gwbl siŵr petai'r awdurdodau'n gwybod bod gan y llong yr un enw â fy hen fodryb, fyddwn i ddim wedi cael fy rhyddhau.

Cerddes i mewn i'r cartre ac i stafell Afon Wen.

'Anti Fon, oes unrhyw un enwog yn ein teulu ni ar ochr Mam?'

'Dwi ddim yn credu 'ny o gwbl, os nad ydyn ni'n dy gynnwys di wrth gwrs! Os nad oedd ein teulu ni lawr y pyllau yn palu glo mas i'r Saeson roedden nhw'n ysgrifennu barddoniaeth! Ond ddaeth dim un o'r rheini'n enwog. Heblaw, wrth gwrs, am Dyfnallt Owen. Roedd e'n hen wncwl i Nana Jones, mam dy fam. Daeth e'n Archdderwydd. Tamed bach o ddewin hefyd, yn ôl Nana Jones. Doedd dim diwedd ar y straeon ynglŷn ag e'n berwi rhyw potions di-ri lan ac yn gwneud rhyw dricie â nhw. Roedd e wedi dysgu'r rheina gan dad ei fam, Dafydd Rhys Williams. Nawr, roedd e'n frawd neu'n gefnder, sai'n siŵr pa un, i Edward Williams, neu Iolo Morganwg fel roedd e'n cael ei nabod.'

'Wel, ma fe'n sicr yn enwog, Anti Fon! Dwi wedi clywed amdano fe.'

'Dwi'n siŵr dy fod ti, Howard bach. Ond perthyn o bell, cofia a dweud y lleia, weden i. Er dw i ddim yn synnu dy fod ti wedi clywed amdano fe. Roedd y boi'n blydi opium addict, on'd oedd e. Ond clyfar hefyd yn ôl y sôn. Roedd tad-cu Dyfnallt yn enwog iawn yn ei ddydd hefyd. Debyg i ti, a dweud y gwir. Roedd William Owen yn smyglwr llwyddiannus iawn, ond dim cyffurie cofia. Cafodd ei grogi yng Nghaerfyrddin. Wel, 'na gyd-ddigwyddiad, ond tyfe?'

Des o hyd i hunangofiant prin William Owen wedyn. Wedi ambell daith smyglo lwyddiannus rhwng Cymru ac Ynys Manaw, buodd Owen yn gweithio yn Ne America. Roedd yn gweithio i smyglwr enwog o'r enw 'The Terrible'. Roedd Owen yn weithgar yn rhywiol hefyd ac roedd ganddo blant anghyfreithlon o bob lliw ym mhob man. Mae'r straeon am ei gynllwynio, ei lygredd a'i orchestion yn ddigon i godi cywilydd ar unrhyw smyglwr cyfoes.

'Mae hyn yn gwella, Anti Fon. Oes rhagor?'

'Wel, mae hanner brawd fy mam, Madoc.

Alla i ddim dweud gormod ynglŷn â fe. Roedd tamed bach o losgach yn fan'na. Fe wnaeth roi fy enw, Afon Wen, i fi. Dwi erioed wedi bod yn rhy hoff ohono fe, er cofia, mae'n enw da am squaw, dwyt ti ddim yn meddwl? Roedd Madoc wastad yn dweud ei fod yn Red Indian wedi cael ei godi mewn wigwam a totem poles y tu fas.

'Ac roedd e'n meddwl ei fod e'n ddisgynnydd uniongyrchol o un o dywysogion Cymru a bod ganddo rhyw gysylltiad â'r Incas. Roedd yn arfer dweud bod yr Incas yn gefndryd iddo. Roedd e wastad ishe mynd i Batagonia hefyd a byw gyda'r Cymry yno fel y gwnaeth lot o bobol y cymoedd. Ond chyrhaeddodd e mo ochr arall yr Iwerydd, gan iddo gael ei ladd.'

Wedi cael perlau gan Anti Fon, roedd yn rhaid mynd at ochr fy nhad o'r teulu. Aelod hyna'r ochr honno ar y pryd, oedd chwaer hynna fy nhad-cu, Katie Marks. Roedd yn 90 oed ac yn byw mewn fflat ar ei phen ei hun ym Mynydd Cynffig. Doeddwn i erioed wedi' ei nabod yn dda iawn a heb ei gweld ers 15 mlynedd.

'Helô, Howard bach. Braf i dy weld ar ôl yr holl flynydde yn America. Beth wyt ti'n neud y dyddie 'ma?'

'Ysgrifennu a gwneud sioeau. Dechrau newydd.'

''Na'r ffordd, Howard bach, rho'r gorffennol y tu ôl i ti.'

'Wel, a dweud y gwir Anti Katie, ishe siarad am y gorffennol o'n i.'

'Oh diar! Shwd galla i fod o help?'

'Pwy oedd tad fy nhad-cu, Tudor?'

'Dafydd Marks. Roedd e'n berchen ar hanner Mynydd Cynffig.'

'Ac ife Patrick Marks oedd ei dad e?'

'Ie, ti'n iawn. Dyn crefyddol iawn yn y diwedd. Mae wedi'i gladdu lan yr hewl yn Siloam, Cefn Cribwr.'

'A'i dad e? Pwy oedd e?'

'Wel fan'na ma fe'n mynd tamed bach yn ddryslyd. Mae'n edrych yn debyg bod Patrick wedi newid ei enw o McCarty i Marks.'

'Pam?'

'Mae 'na dair theori. Un yw ei fod am etifeddu lot o arian gan deulu Almaeneg o'r enw Marks. Roedd ganddyn nhw byllau glo rownd ffordd hyn. Theori arall yw ei fod am guddio rhag yr heddlu achos ei fod e wedi neud lot o arian dramor mewn ffordd na ddyle fe. A'r drydedd theori, a'r un dwi'n credu sy'n wir, yw ei fod am gael gwared ar bob cysylltiad â pherthynas iddo ac iddo enw drwg, sef Billy the Kid. Patrick oedd enw tad Patrick, a fe oedd tad Billy the Kid hefyd, ond menyw arall oedd ei fam.'

Doeddwn i ddim yn gallu credu'r peth!

'Mae'n anhygoel. Roedd fy hen-hen dad-cu yn frawd i Billy the Kid!'

'Hanner brawd, fi'n credu, ond tyfe, Howard? Ond mae mwy, lot mwy o hanes. Roedd y McCartys hefyd yn perthyn i gang Jesse James. Fe wnaethon nhw gwrdd â Butch Cassidy a'r Sundance Kid yn Patagonia. Dyna oedd HQ cowbois Cymru ac Iwerddon yn y dyddiau hynny. Yn ôl y sôn, roedd Patrick wedi dysgu Cymraeg yno.

'Beth bynnag, ar ôl blynyddoedd yn Ne America, daeth Patrick 'nôl i dde Cymru i fyw o dan enw arall. Nid bod newid ei enw wedi gwneud gwahaniaeth mawr iddo fe. Roedd ei fab, brawd Dafydd dy hen dad-cu di, yn gangster enwog yn Chicago – Willie Bevan Marks. Roedd e'n un o brif ddynion Bugs Moran. Doedd e'n ddim syndod o gwbl i fi dy fod ti wedi dod yn smyglwr enwog o gwbl!'

'Odi hyn i gyd yn wir, Anti Katie?'

'Pob gair, Howard. Pam rwyt ti'n credu bod brawd dy dad-cu, Tommy, wedi enwi pob un o'i blant yn Bevan Marks, hyd yn oed y merched? Roedd e am etifeddu arian Willie.'

''Naeth e?'

'Dim ceiniog.'

Roedd yn rhaid i fi weld dros fy hunan oedd y ffeithiau yma'n wir. I ffwrdd â fi i lyfrgell Mynydd Cynffig ac ar y we.

Cafodd Billy the Kid ei eni yn 1861 yn Efrog Newydd i Patrick a Catherine McCarty. Cafodd ei enwi'n William Henry McCarty. Rai blynyddoedd yn ddiweddarach, fe adawodd Patrick ei wraig, Catherine. Priododd hi William Antrim. Bu farw'r fam pan oedd Billy yn 13 oed. Trodd Billy yn outlaw ac ymuno â gang Cymro o'r enw Jesse Evans, arweinydd 'The Boys'. Er mwyn osgoi cael ei ddal, newidiodd Billy ei enw i William H. Bonney. Wnes i ddim mynd yn bellach ar ôl yr hanes na hynny. Ond roedd yn ddigon i fy argyhoeddi bod Anti Katie'n iawn.

Tua dechrau'r 1920au, roedd Willie Marks wedi ymuno â North Side, gang Dean O'Bannion yn Chicago. Daeth yn ffrindiau penna ag aelod arall o'r gang, George 'Bugs' Moran. Aeth e yn ei flaen i fod yn arweinydd y gang a gwnaeth Willie Marks yn ail iddo. Ei gyfrifoldeb e oedd sicrhau bod y gang yn creu diddordeb yn Ne America. Daeth Willie Marks yn agos i gael ei ladd gan Al Capone yn ystod yr enwog Valentine's Day Massacre – brwydr rhwng dwy gang. Ond cafodd ei ladd yn ddiweddarach gan un o ddynion Al Capone. Mae Willie Marks wedi'i gladdu ym Mynwent Woodlawn, Forest Park, Illinois.

Roeddwn am fynd 'nôl i'r atig unwaith eto. Roedd y daith a ddechreuodd yno wedi fy arwain trwy ddwy anti oedrannus at Iolo Morgannwg a Billy the Kid, yn ogystal ag ambell gymeriad lliwgar arall.

Roedd dwsinau o focsys yno'n llawn o'm stwff i dros y blynyddoedd. Dyna lle roedd setiau Meccano, setiau cemeg, anrhegion doeddwn i ddim wedi'u hagor ers fy mhriodas yn 1967 i Ilze. Roedd yno bosteri roc, posteri seicadelic, cannoedd o lythyron a thudalennau di-ri o ysgrifau o'r dyddiau pan oeddwn yn ystyried bod yn academig.

Roedd un bocs wedi'i anfon o garchar ffederal Terre Haute, a heb ei agor. Dyna lle roedd yr holl luniau, llyfrau a llythyron a gafodd eu hanfon ata i tra oeddwn yn y carchar. Ond roedd yr awdurdodau wedi penderfynu y byddai eu rhoi i fi'n fygythiad i ddiogelwch y carchar.

Roedd llun o'm mab yn ddwy oed yn nofio am y tro cyntaf yno. Doedden nhw ddim wedi caniatáu i fi ei dderbyn am nad oedd fy mab yn gwisgo dillad nofio. Roedd nifer o lyfrau digon di-nod ar gyffuriau, troseddau a throseddwyr, rhyw a gwleidyddiaeth. Roedd nifer wedi'u cyflwyno i fi'n bersonol gan yr awduron, ac yn cynnwys eu llofnodion. Cafodd y rhain eu gwahardd yn syth. Roedd yn rhaid i unrhyw lyfr gael ei anfon yn uniongyrchol i'r carchar gan y cyhoeddwyr, rhag ofn bod negeseuon cudd ynddyn nhw.

Yn eu plith, hefyd, roedd llyfr a ddaliodd fy sylw yn syth. 'Madoc – The Legend of the Welsh Discovery of America,' gan Gwyn A. Williams. Roedd wedi'i gyflwyno i fi ac wedi'i arwyddo. Yno hefyd roedd amlen yn llawn erthyglau a phamffledi.

Ynddo darllenais fod y Tywysog Madoc, plentyn anghyfreithlon i'r Brenin Owain, wedi cael digon ar y bywyd yn y llys brenhinol. Yn 1170 roedd e, a rhai o'i ffrindiau, wedi hwylio o Abergele a glanio yn Alabama. Mae plac i gofio Madoc yn Abergele ac yn Fort Morgan, Mobile, Alabama. Gan adael grŵp bychan ar ôl, daeth Madoc yn ôl i Gymru. Casglodd nwyddau a grŵp arall o Gymry, a mynd ar daith arall. Chafodd e mo'i weld eto yng Nghymru. Yn ôl un o'r pamffledi, roedd ail daith Madoc wedi mynd ag e i Fecsico.

Roedd nifer o eiriau Cymraeg yn iaith yr Astec oherwydd y cysylltiad rhwng pobol Mecsico a'r mewnfudwyr o Gymru. Un o'r rhain oedd yr enw am aderyn anarferol, sef y penguin – sef pen gwyn yn y Gymraeg. Ond wedi i hynny fy nghyffroi, cefais fy siomi wrth gofio mai pen du sydd gan y penguin. Roeddwn i wedi bod yn darllen sothach llwyr. Wedi cael fy nadrithio, syrthiais i gysgu yng nghanol trugareddau'r atig.

Roedd stori'r penguin yn unig wedi codi amheuon ynglŷn â'r holl gysylltiad rhwng Cymru a brodorion America. Ond roedd gweddill y straeon yn gwneud synnwyr. 'Nôl ar-lein, chwiliais am y penguins â phennau gwyn. Fe ddes i ar draws y Great Auk. Penguin mawr o hemisffer y Gogledd oedd hwn ac roedd ganddo batshyn gwyn mawr amlwg ar ei ben. Diflannodd y Great Auks 150 o flynyddoedd yn ôl. Roedden nhw'n arfer byw ger ynysoedd Prydain, Gwlad yr Iâ a'r Ynys Werdd. Byddai morwyr yn eu dal er mwyn cael bwyd ac er mwyn eu plu. Pan aeth y teithwyr cyntaf o Gymru i hemisffer y De a gweld adar tebyg iawn i'r Great Auk rhoddwyd yr un enw, pen gwyn, i'r ddau.

Roedd yn deimlad o ryddhad mawr. Roedd stori Anti Afon Wen am y cysylltiad rhwng y Cymry a'r Indiaid Cochion Cymreig yn iawn. Roeddwn wedi gallu ei chadarnhau mewn llyfrau ac erthyglau hanes. Tybed, felly, a oedd hi'n gywir hefyd am yr Incas?

Yn 1908, cyhoeddodd y Parch. John H. Parry o Brifysgol Durham lyfr am hanes Madoc. Daliai'r llyfr, fod Madoc wedi cael ei enwi'n

Manco Capac, Inca cynta Periw. Mae cofnod fod Manco Capac wedi cael ei weld am y tro cyntaf ar dir Periw ychydig wythnosau wedi i Madog ddiflannu o dir Cymru. Roedd Mama Ocello – ffurf ar 'Mam Uchel' wrth ei ochr. Roedd y pâr yma'n cael eu hystyried fel hynafiaid yr Incas.

Roedd Anti Fon, fel Anti Katie, yn iawn.

Daeth y chwilio manwl a hir i ben yn sydyn yn Hydref 2002. Bu farw fy mam. Doeddwn i ddim yn credu y gallwn ddianc rhag y galar yn dilyn ei marwolaeth. Doedd hi ddim yn farwolaeth heddychlon a bu farw yn fy mreichiau i a'm chwaer. Falle y byddwn yn dod yn gyfarwydd â'r golled, ond fyddwn i byth yn gwella ohoni. Trodd bywyd yn wag, heb unrhyw gyfeiriad. Doedd y cof yn cofio dim ond straeon am fy mhlentyndod.

Daeth yn amlwg y byddai'n wastraff amser llwyr i ddal ati i ymchwilio i hanes y teulu pan oeddwn newydd golli'r person mwyaf gwerthfawr ohono.

CYMRO YN Y WLADFA

ROEDDWN WEDI BOD YN defnyddio'r atig i storio popeth nad oedd ei angen arna i ar y pryd. Bric a brac o bobman. Pamffledi. Bocsys cardbord yn llawn dop. Tybed a fyddai'r holl stwff yn cael ei roi mewn trefn rywbryd? Neu a fyddai'n cael ei adael nes y byddai'n dda i ddim i bwy bynnag oedd yn fyw ar y pryd? Fe ddes i ar draws cist yn llawn cylchgronau National Geographic, siartiau, mapiau a llyfrynnau tywys o bob cornel o'r byd. Roedd blychau llwch o Brasil ac adenydd gwyfynod wedi'u gosod ynddyn nhw. Ornaments o Periw, cerflun marmor o Grist yr Andes, basged o Uruguay wedi'i gwneud o gragen armadilo, a llyfrau tywys i henebion yr Inca, yr Aztec a'r Maya. Roedd fy obsesiwn gyda phethau o Gymru a De America wedi dod yn ôl yn gryf iawn.

Gwelais hen waled frown, ac amlen wedi'i phlygu ynddi. Ar gefn yr amlen roedd y geiriau: Patrick McCarty. Y tu fewn, roedd llun du a gwyn o stribyn cul a mynyddoedd a phigau uchel o'i gwmpas. Ar y cefn roedd y gair 'Patagonia' wedi'i ysgrifennu. Yn ôl y straeon wrth gwrs, dyma gartref cyndeidiau i mi ar ddwy ochr y teulu yn y gorffennol pell. Doedd dim angen rhagor o negeseuon, arwyddion na chyd-ddigwyddiadau. Fe wnes i drefnu mynd i Batagonia. Roedd yr awydd i chwilio am deulu'r gorffennol yn ôl!

Hedfanais trwy Buenos Aires i Trelew yn Nyffryn Chubut. Yn amlwg iawn yn y neuadd wrth i ni gyrraedd, roedd cerflun o bengwin anferth gyda phen du. Yno hefyd roedd lluniau o ddolffiniaid, llewod môr a morfilod dros y waliau i gyd.

Fe es i ar y bws cyhoeddus i Puerto Madryn. Dyna lle glaniodd y Cymry cyntaf, 150 o flynyddoedd yn ôl. Am 50 o filltiroedd a phob asgwrn yn y corff yn cael ei ysgwyd, aeth y bws drwy ganol mil o filltiroedd o dir diffaith. Ac yna, yn gwbl hudol, ymddangosodd y môr o'n blaen a daeth adeiladau i'r golwg. Roedd pier hir yn ymestyn allan i'r môr, a dwy long un bob ochr iddo.

Doedd Puerto Madryn ddim yn bentre nodweddiadol Gymreig. Marina oedd yno, a chanolfan chwaraeon dŵr Americanaidd ei naws a hynod lwyddiannus. Wedi fy siomi rhywfaint, dewisais westy addas i aros ynddo, cyn mynd i chwilio am unrhyw beth yn ymwneud â Chymru.

Yn y diwedd, fe ddes i ar draws strydoedd gyda'r enwau Matthews, Roberts, Humphreys, a Love Jones Parry. Dyna ryddhad! Lawr â fi ar hyd stryd Love Jones Parry nes i fi ddod at y promenâd. Roedd cofeb fawr yno gan Luis Perlotti, cerflunydd enwog o'r Ariannin, yn nodi canmlwyddiant glaniad y Cymry cynta yn Punta Cuevas. Wrth gerdded ar hyd y traeth, gwelais gerflun o un o'r brodorion gwreiddiol ar bentwr o gerrig. Roedd yn dal bwa yn un llaw ac yn cuddio'i lygaid rhag yr haul â'r llall. Enw'r cerflun hwn gan Luis Perlotti oedd El Indio. Roedd yn arwydd o ddiolchgarwch y Cymry am yr help gawson nhw gan lwyth y Tehuelche – y brodorion oedd yno i groesawu'r Cymry pan lanion nhw gynta.

Yn ymyl, roedd ogofâu a darllenais arwydd yn esbonio mai dyma lle roedd y Cymry wedi glanio a'u bod wedi byw yn yr ogofâu. Daeth yr anturiaethwyr hyn o Gymru o hyd i ddŵr ffres ger aber afon Chubut. Fe sefydlon nhw dyddynnod a chymuned bysgota mewn lle a gafodd ei enwi yn Tre Rawson.

Nid bod yn hael iawn i'r Cymry oedd bwriad llywodraeth yr Ariannin wrth roi cymaint o dir iddyn nhw, ond atal y bygythiadau o Chile. Cefnogodd Gweinidog Materion Cartre'r Ariannin, Dr Rawson y syniad o ffurfio gwladfa Gymreig a'i enw fe a roddwyd ar y man lle setlodd y Cymry gynta.

Ond roedd bywyd yno'n anodd i'r Cymry.

Roedd nifer yn gyfarwydd â gwaith yn y pyllau glo ond roedd ffermio'n ddieithr iddyn nhw. Doedden nhw ddim yn gyfarwydd â thymhorau hemisffer y De a buon nhw'n hau hadau yn yr hydref yn lle'r gwanwyn. Bu'n rhaid wynebu un methiant ar ôl y llall. Cawson nhw eu hachub rhag newynu i farwolaeth gan un o lwythi'r Tehuelche. Dyna oedd dechrau'r cyfeillgarwch rhyfedd a chynnes rhwng yr ymwelwyr a'r brodorion. Dysgon nhw'r Cymry sut oedd trin y gwartheg, marchog y ceffylau a hela. Bydden nhw'n cyfnewid bara a menyn am gig a chrwyn.

Ond roedd y blynyddoedd cynnar yn rhai anodd i'r Cymry. Aeth eu poblogaeth yn llai. Dros y blynyddoedd roedd y Cymry wedi llwyddo i wella'r systemau dyfrhau ac wedi gallu allforio ŷd hyd yn oed. Cynyddodd y boblogaeth unwaith eto. Gan gofio'u dyled i'r Tehuelche, dechreuodd y Cymry dderbyn plant amddifad y llwyth i'w teuluoedd a dysgu siarad Cymraeg.

Roedd calon y gymuned Gymreig ychydig filltiroedd i ffwrdd o'r lle roedd yr ogofâu, yn y Gaiman. Doedd dim prinder enwau strydoedd Cymreig yn y fan honno. Rhesi o hen dyddynnod Cymreig, tai hasienda, capeli llwm a mwy o dai te nag sydd yng Nghymru gyfan. Parciais y car yn stryd Meical D. Jones, lle cafodd ysgol uwchradd gynta Patagonia ei hagor.

Rhai llathenni i ffwrdd, roedd tŷ te Cymreig, Casa de Te Gales, yn gweini te'r prynhawn. Roedd gwaith celf a llieiniau te o Gymru'n gorchuddio'r waliau. O'm cwmpas, roedd cerddoriaeth o Gymru ac aroglau fy mhlentyndod ym mhobman. Roedd hen wragedd crand yn gorlwytho byrddau gyda bwyd o bob math a the mewn tebot gyda chap. Roedd y te yn ffit i unrhyw löwr ac yn dderbyniol iawn gan y dwsinau o Archentwyr oedd wedi teithio yno er mwyn blasu'r traddodiadau Cymreig. Roeddwn ar goll ynghanol teithiau llawn nostalgia yn fy meddwl. Gwenais a dechrau sgwrsio â phawb fyddai'n gwenu'n ôl arna i. Daeth menyw ifanc ata i mewn blows wen a draig goch arni – ei henw, Bronwen Lopez. Daeth hi a rhagor o deisennau, pastai, jams a pice at y ford.

'Siarad Cymraeg?' gofynnodd.

'Odw,' atebais, gan deimlo'n fwy afreal byth.

Roedd Bronwen wrth ei bodd i gwrdd â rhywun o Gymru ac fe gyflwynodd fi i'w chyd-weithwyr, Dolores Jones a Claudia Williams. Gor-or-wyresau i ddau o deithwyr y Mimosa ar draws yr Iwerydd oedd Dolores a Claudia. Fe siaradon ni am amser hir ynglŷn â Chymru. Wedi holi oedd McCarty wedi setlo yn Nyffryn Chubut, awgrymodd y tair y dylwn ymweld â cheidwad amgueddfa'r dre, Tegai Roberts. Roedd ei hen fodryb wedi cael ei geni yn ystod taith y Mimosa a'i hen dad-cu oedd Lewis Jones. Roedd Trelew wedi'i enwi ar ei ôl e.

Tegai Roberts oedd un o'r gwragedd hyna ymhlith y Cymry allan yno. Croesawodd fi'n gynnes i'r amgueddfa gyda llond ceg o Sbaeneg. Atebais yn Gymraeg, ac roedd ei llygaid yn pefrio. Gofynnais a oedd ganddi restr o deithwyr y Mimosa ac o ble yng Nghymru roedden nhw'n dod. Doedd hi ddim yn gwybod am unrhyw McCarty na chwaith am Wyddelod a ddaeth yno er ei bod yn bosib iddynt fod yno.

Fe es i 'nôl i Drelew i gael diod yng ngwesty'r Touring Club. Dyna lle mae pawb pwysig yn mynd heddi a dyna lle roedd pawb oedd yn ddrwg yn mynd ganrif yn ôl. Yn 1901, roedd Butch Cassidy a'r Sundance Kid wedi ffoi i'r Ariannin er mwyn agor ranch a dechrau bywyd heddychlon ymhell o sylw'r byd. Roedd eu cartre yn Cholilo, ym mhen mwya gorllewinol Dyffryn Chubut, ac yno byddai partis a dawnsfeydd yn cael eu cynnal yn gyson.

Er mwyn prynu nwyddau a gwerthu eu cynnyrch, roedden nhw'n teithio'r 400 milltir i Drelew. Roedden nhw'n aros yno am gyfnodau hir yng Ngwesty'r Touring Club. Yr hen 'cowboy saloon' yw'r man lle bydd pobol yn yfed ac yn bwyta heddi ar y byrddau sgleiniog a'r bar yn hirach na llain griced. Bellach mae'r peiriannau cappuccino yn dangos ôl y blynyddoedd. Roedd silffoedd pren yn gwegian o dan bwysau cannoedd ar gannoedd o boteli wisgi, gwin, cwrw a seidir. Ac roedd lluniau du a gwyn amrywiol. Edrychais yn fanwl ar y lluniau ar y waliau gan chwilio am yr enw McCarty gan fod enwau pobol wedi'u hysgrifennu arnyn nhw.

A dyna lle roedd e. O flaen fy llygaid. Edrychais eto er mwyn gwneud yn siŵr. Rhwbiais lwch yr oesoedd oddi ar y gwydr a'r ffrâm. Ond doedd dim amheuaeth. Roeddwn yn darllen yr enw'n gywir – Patrick McCarty. Roedd e a chwpwl o'i ffrindiau'n pwyso yn erbyn wal garreg wen ac yn gwneud arwyddion llaw tebyg i'r rhai y byddai artistiaid hip-hop yn eu gwneud heddi. Doedd e ddim yn debyg i unrhyw aelod o nheulu. Ond, roedd hi'n amhosib mai cyd-ddigwyddiad oedd hyn. Roeddwn wedi dod o hyd i'm hen hen dad-cu. Tynnais lun o'r llun.

Roedd llyfr ffôn lleol wrth y bar. Edrychais drwyddo i chwilio am yr enw McCarty. Fe ddes o hyd i dri MacKarthy. Ffoniais nhw i gyd. Ond mynnodd pob un ohonyn nhw nad oedden nhw'n Gymry nac yn Wyddelod. Ond dywedodd un ohonyn nhw ei fod yn cofio'i dad yn siarad am Patrick McCarthy. Roedd yn byw yn y Gaiman yr un adeg ag e ac wedi dysgu Cymraeg yn yr ysgol leol. Dywedodd ei fod yn ffrind agos gyda dyn arall oedd wedi dysgu Cymraeg, gŵr o Chile o'r enw Juan Williams. Roedd e'n Admiral yn Llynges Chile ac yn un o arwyr y rhyfel annibyniaeth yn erbyn Sbaen. Roedd y ddau wedi gadael yr ardal yr un pryd. A mwy na thebyg wedi mynd i'r un lle, sef Ushuaia, dinas fwya deheuol Patagonia – yn wir, yn y byd i gyd.

Y diwrnod wedyn, daliais awyren i fynd yno. Glaniais yng nghanol storm o eira a chymryd tacsi i'r brif stryd, San Martin. Roedd yn lle anhygoel. Yn un rhes o siopau, ac anrhegion rhad o ben draw'r byd wedi'u pentyrru yn eu ffenestri. Siâp pengwin oedd i nifer ohonyn nhw, ac roedden nhw'n gwerthu llwyth o wisgi duty-free a sigaréts. Es draw i Volver, gwesty henffasiwn ar lan y dŵr. Yn ôl y sôn, dyma'r bwyty gorau yn y byd am granc mawr yr Antartig. Ar y silffoedd roedd cannoedd o luniau, a phapurau newydd wedi hen felynu ar y waliau. Roedd y fwydlen yn syml. Pate cranc, salad cranc, cawl cranc, pasta cranc, goulash cranc a chranc! Archebais y cranc. Cyn hir, roeddwn yn gloddesta ar granc anferth a oedd yn llond y plât. Roedd llathen rhwng pen un o'i goesau a'r pen arall. Roedd y cig yn hyfryd.

Edrychais ar yr hen luniau. Tybed. Doedd

dim un llun amlwg o Patrick McCarty. Wrth edrych, sylwais ar focsys gwag a labeli Fabrica Centolla, Puerto Williams arnyn nhw. Falle fod cliw pellach fan hyn. Roedd Puerto Williams yn Chile, ond roedd yn llai na 20 cilometr i ffwrdd ar ynys Navarino.

Cerddais at yr harbwr a gweld fod catamarán yn mynd i Puerto Williams ac yn dod yn ôl yr un diwrnod. Byddai cyfle i weld y llewod môr a'r miloedd o filidowcars ar y creigiau. Roedd deg teithiwr arall, llawer yn Americaniaid ar eu ffordd yn ôl i'w cychod yn Puerto Williams ar ôl bod ar drip siopa duty-free yn Ushuaia.

Yn aros amdanom ni yn Puerto Williams, roedd pedwar llanc yn dal gafael mewn tennyn yr un ac yn mynd â'u Cranc Mawr am dro. Dyma un o'r mannau mwya rhyfedd dan haul, heb unrhyw arwydd o'r dyddie a fu. Doedd dim posib fod ganddo unrhyw beth i'w wneud â'm hen hen dad-cu nag arwr morwrol o Chile yn y bedwaredd ganrif ar bymtheg.

Ond, deallais fod Puerto Williams wedi datblygu'n ganolfan llynges yn gymharol ddiweddar. Eu pobol nhw oedd wedi codi'r tai pren roeddwn newydd eu gweld.

Roedd wedi cael ei enwi'n Puerto Williams ar ôl yr arwr morwrol o Chile, yr Admiral Juan Williams. Felly, roedd yna gysylltiad ac roeddwn i mor gyffrous, teimlwn fel cael diod. Gwelais long dynnu wedi suddo a'i llawr ucha wedi cael ei newid i fod yn Club de Yates Micalvi. Gofynnais am wisgi. Cododd y niwl. Gwelais rywbeth nad oeddwn erioed wedi'i weld nac wedi clywed amdano o'r blaen – enfys syth. Roedd y fath olygfa syfrdanol yn chwarae triciau gyda'm dealltwriaeth o opteg a ffiseg.

Yna, gwelais rywbeth roeddwn wedi'i weld o'r blaen. Rhes o bigau fel nodwyddau gwenithfaen yn pwyntio i'r awyr.

'Dannedd Navarino. On'd ydyn nhw'n edrych yn fryniau godidog? Y rhai prydfertha i chi eu gweld erioed dwi'n siŵr!' meddai un ymwelydd Americanaidd.

Doeddwn i ddim yn gallu ei ateb. Doedd dim amheuaeth o gwbl. Dyma'r bryniau pigog oedd yn y llun roeddwn wedi dod o hyd iddo ym Mynydd Cynffig.

Rhai wythnosau'n ddiweddarach, fe es i 'nôl i Puerto Williams. Ond methais ddod o hyd i unrhyw beth oedd yn cysylltu'r lle â nheulu, er ymchwilio mewn llyfrgelloedd ym Mhrydain ac yn Sbaen.

Yr agosa y des i oedd darllen am Wyddel o'r enw Patrick Brendan. Daeth yn ffrind mor dda i 'chief' un o Indiaid Patagonia, Casimoro nes iddo roi Straits of Magellan am ddim iddo. Beth wnaeth Patrick wedyn? Casglu tail adar ar hyd y Straits a rhwystro pawb arall rhag cael gafael arno. Casglodd dunelli a thunelli o'r stwff. Trwy ei werthu, fe wnaeth filiynau. Ond bu'n rhaid iddo ddianc, wedi iddo gael ei ddal yng nghanol brwydr rhwng yr Ariannin a Chile.

Bydden i wrth fy modd petawn i'n gallu profi mai'r Patrick yma oedd fy hen hen dad-cu. Ond dydw i ddim wedi gallu gwneud hynny hyd yn hyn.

CYMRU CŴL

Yn 1996, llai na blwyddyn wedi i fi ddod mas o'r carchar, y Cymry oedd ar flaen yr ymdrechion poblogaidd i ddiddanu a chwalu diflastod bywyd bob dydd. Yn sicr ym myd cerddoriaeth.

Am flynyddoedd lawer doedd y Cymry ddim yn amlwg iawn fel arloeswyr cerddoriaeth boblogaidd. Roedd sawl dylanwad Cymraeg a Chymreig ar gerddoriaeth sîn chwyldro'r 1960au, o Spencer Davis i Amen Corner, a llond llwyfan o gerddorion unigol mewn bandiau a ddaeth ac a ddiflannodd gyda'r gwynt. Ond doedd e'n golygu dim i fi ar y pryd eu bod yn dod o Gymru. Roedd yn amherthnasol. Roeddwn yn ymwybodol, wrth gwrs, o'r Cymry oedd wedi bod yn llwyddiannus iawn – Ricky Valance, Bonnie Tyler, Tom Jones ac ati.

Ond doedd neb wedi dod o Gymru a chydio yn y sefyllfa gerddoriaeth boblogaidd a'i siglo mewn modd sydd wedi newid y sîn, fel y gwnaeth y Stones, Beatles, Sex Pistols, ac Oasis. Y cynta i dorri'r patrwm oedd y bois o Gasnewydd, y Manic Street Preachers. O'r diwedd, diwylliant stryd Cymru yn dod yn amlwg ac yn awr trwy'r Manics roedd modd ei allforio. Dilynodd bandiau eraill yn ddigon clou ar eu hôl gan gynnwys y Super Furry Animals, grŵp y cefais fy nghyflwyno iddyn nhw.

'Alla i siarad â Howard Marks, plis?'

'Yn siarad.'

'Emma Broughton o gwmni Creation sy 'ma. Ydych chi'n gwbod am y Super Furry Animals, band o Gaerdydd?'

'Dwi'n gwbod amdanyn nhw ac wedi clywed ambell drac. Ond dwi ddim yn eu nabod nhw'n bersonol.'

'Wel, mae eu halbwm cynta ar fin dod mas ac mae cân amdanoch chi arni.'

'Ffantastig! Doedd dim syniad gen i!'

'Fe wna i anfon copi atoch chi. Gwrandwch arno fe ac os byddwch chi'n ei hoffi, falle bydd cynnig gyda ni i'w neud i chi.'

Daeth y CD, copi promo o 'Fuzzy Logic', y diwrnod canlynol. Enw trac rhif deg oedd 'Hangin' with Howard Marks'. Roeddwn yn dwlu arno!

'Dwi'n meddwl ei fod yn grêt, Emma.'

'Wicked, on'd yw e?'

'Felly, beth yw'r cynnig?'

'Wel, yr hyn sydd wedi'u hysbrydoli i ysgrifennu'r gân oedd yr holl luniau pasbort ffug 'na ohonoch chi roedd nifer o bapurau newydd wedi'u cyhoeddi ar ôl eich rhyddhau o'r carchar. Y gwir yw ma'r bois am roi'r lluniau hynny ar glawr yr albwm. Fyddai hynny'n broblem, naill ai o safbwynt personol neu o ran hawlfraint?'

'Emma, bydden i wrth fy modd petaen nhw'n gwneud hynny! Cafodd y lluniau eu tynnu yn y bwths awtomatig yna, felly does dim problem hawlfraint.'

'Ffantastig! A ma nhw ishe i chi ddod i'w gweld nhw'n chwarae ym Mhontypridd.'

Fe es wrth gwrs a'r neuadd yn orlawn. Cuddiais yn ddigon nerfus yn y cefn mewn cyngerdd arbennig. Roedd yn gyfuniad blaengar o bron pob math o gerddoriaeth o Status Quo i Zappa, yn ogystal â melodïau creadigol a ddaeth o Duw a ŵyr ble. Roedd y dorf mewn hwyliau arbennig wrth iddyn nhw syrffio, neidio i fyny ac i lawr a chwifio'u breichiau mewn llawenydd pur. Fe es y tu cefn i'r llwyfan i gwrdd â'r band. Daethon ni ymlaen gyda'n gilydd yn dda o'r cychwyn a chwerthin ac yfed cryn dipyn. Tynnodd y ffotograffwyr sawl llun ohona i gyda'r band. Profiad newydd i fi ar y pryd.

Roedd albwm y Super Furries a fy hunangofiant i ar fin dod allan. Gofynnodd ambell berson i fi am fy llofnod. Yn eu plith, dyn gwallt golau a gwên ar ei wyneb drwy'r amser. Daliodd lond dwrn o bapurau sigaréts 'king size' a marker pen o'm blaen.

'Alla i gael dy lofnod di plis, How?' meddai mewn llais Cymreig tawel.

'Iawn, beth yw dy enw di?'

'Na, dy enw di dwi isho. Ar y papurau sigaréts 'ma os ydi hynna'n iawn.'

'Wrth gwrs ei fod e'n iawn. O'n i jyst yn meddwl falle bod ti ishe cyflwyno'r llofnod i rywun.'

'Be ti'n feddwl – cyflwyno fo?'

'Wel, ysgrifennu rhywbeth fel "I Jack" neu rywbeth.'

'Jack pwy?'

'Unrhyw Jack.'

'Stwffia Jack. I fi mae o. Mi brynes i'r rhain fy hun.'

'Dim ond fy llofnod?'

'Ia, dyna ni,' atebodd gan edrych arna i fel petawn i'n berson syml iawn.

Ysgrifennais lofnod mawr ar draws clawr y bocs papurau sigaréts.

Edrychodd arna i'n sarhaus.

'Ro'n i'n meddwl ar bob un ohonyn nhw.'

'Be ti'n feddwl?' gofynnais.

'Wnei di plis arwyddo pob un o'r papurau? Mi wna i roi rhai i Jack.'

Ar hynny dechreuodd chwerthin.

'Sorri, How. Rhys ydi fy enw i.'

Fe wnes innau ddechrau chwerthin hefyd.

'Grêt i gwrdd â ti, Rhys. Ble 'yt ti'n byw?'

'Ar lawr Daf Ieuan y drymiwr tan i fi gael

gwaith. Ond dwi'n eitha nerfus yn aros yno gan fod y boi'n curo petha i ennill bywoliaeth. Alla i ofyn rhywbeth o ddifri i ti?'

'Cer mlaen.'

'Actor ydw i, ac un blydi da hefyd, hyd yn oed pan dwi wedi meddwi. Os gwnân nhw byth ffilm am dy fywyd di, alla i chwarae dy ran di?'

'Yn bendant.'

Ac roeddwn yn ei feddwl.

'Mae'n ddêl, Rhys. Ond mae'n rhaid i ti gadw ati.'

'Beth am ysgwyd llaw arni, How?'

Ac fe wnaethon ni.

Beth amser ar ôl hynny, roedd Rhys Ifans yn serennu yn y ffilm gyffuriau Gymreig gynta, *Twin Town*. Aeth ymlaen o'r ffilm honno i gipio'r penawdau oddi ar Hugh Grant yn *Notting Hill*. Mae'n un o actorion mwya enwog yn y byd nawr. Daeth y ddau ohonom yn ffrindiau da. Bob blwyddyn, rydyn ni'n datblygu'n gallu i fynd i bartis a chreu hafoc mewn cystadleuaeth yfed a chyffuriau yn Glastonbury.

Yn nes ymlaen yn yr un flwyddyn, 1996, roedd y Super Furry Animals wedi prynu tanc. Roedd y peiriant milwrol yma wedi cael ei addasu i fod yn un Techno blaster anferth. A baril y gwn wedi'i newid er mwyn tanio tafelli bara i gorneli mwya anghenus y dorf.

Syllais ar y tanc. Roedd y DJs o Gaerdydd, The Sacred Grooves, y tu fewn iddo ac yn rhyddhau'r rhythmau Techno yn ddi-baid. Roedd yn eitha golygfa wrth i bobol ffrenetig a phrydferth ddawnsio o ddifri ar ei ben.

Roedd y tanc wedi cael bywyd uffernol, ond nawr, roedd Duw wedi rhoi trawsblaniad iddo. Mwg gwahanol oedd yn llenwi ei ysgyfaint erbyn hyn.

'Ni mlaen ar y llwyfan!' meddai Daf. 'Dere gyda ni, Howard. Gelli di sefyll yng nghefn y llwyfan. Mae'r olygfa'n anhygoel.'

Oedd, roedd yr olygfa'n anhygoel. Dyna lle roedd wyth deg mil o bobol yn symud gyda'i gilydd i gerddoriaeth y Furries. Fe chwaraeon nhw 'Hangin with Howard Marks'. Cuddiais a gwylio'r cyfan yng nghysgod y sgaffaldau a'r speakers.

'Nawr, dwi am gyflwyno Howard Marks,' meddai Gruff, y prif leisydd. 'Mae'n mynd i ganu ei hoff gân gan y Beatles.'

Doedden nhw ddim wedi dweud wrtha i am hyn. Roedden nhw'n gwybod fod arna i ofn llwyfan, ond roeddwn wedi fy nghornelu. Gallwn ddianc o gefn y llwyfan yn rhwydd ond byddai hynny'n golygu colli pob street cred oedd gen i a byddai pobol y cymoedd yn gwneud hwyl ar fy mhen am flynyddoedd.

Neu, fe allen i fynd i flaen y llwyfan, canu un o ganeuon y Beatles a chael yr un ymateb!

Trwy lwc, cofiais fod y Beatles wedi ysgrifennu cân a'r unig eiriau ynddi yw 'Number Nine, Number Nine, Number Nine...' Felly, ymlaen â fi i flaen y llwyfan. Cydiais yn y meic, a sgrechen 'Number Nine' 99 o weithiau. Pan ddes i'r diwedd, 'nôl a fi wrth i'r dorf gymeradwyo'r Furries ar eu ffordd yn ôl i'r tu blaen.

Er gwaetha'r cywilydd, fe ddes yn hoff iawn o'r band. Gweithiais sawl gwaith gyda nhw ac fe wnes i ailgymysgu eu hanthem, 'The Man Don't Give a Fuck'. Clywais gyffesion eu ffans wrth i mi eistedd mewn blwch arbennig yn y Royal Festival Hall. Cafodd y cyffesion eu darlledu'n fyw ar sgrin fawr yn yr awditoriwm. A fi gyflwynodd y band i'w ffans teyrngar yn Arena Ryngwladol Caerdydd.

Trwyddyn nhw, roeddwn wedi cyfarfod â bron pob un o fandiau enwog Cymru ar y pryd, gan gynnwys Catatonia a Gorky's Zygotic Mynci. Byddai'r Super Furries a fi'n mynd i gyngherddau a sioeau'n gilydd. Cawsom ein holi droeon ar y radio gyda'n gilydd. Mae ein cyfeillgarwch yn werthfawr iawn i fi mewn sawl ffordd. Ac yn sicr mae ganddyn nhw rôl amlwg yn fy ymdrech i ddod o hyd i Gymru.

Yn ystod Etholiad Cyffredinol 1997, roeddwn yn brysur yn ymgyrchu i gael fy ethol fel Aelod Seneddol. Cefais alwad ffôn gan y BBC. Roedden nhw am drafod prynu hawliau teledu fy llyfr *Mr Nice*. Fe wnes i gyfarfod â Michael Wearing, Pennaeth Cyfresi'r BBC a fu'n gyfrifol am gyfresi fel *Middlemarch* a *Pride and Prejudice*. Fe arwyddon ni gytundeb i gynhyrchu cyfres chwe phennod yn seiliedig ar *Mr Nice*.

O safbwynt troseddwyr yn elwa o'u troseddau, mae barn y cyhoedd yn ddigon clir fel arfer. Ddylai lladron banc ddim cadw'r arian a gafodd ei ddwyn ganddyn nhw. Ond mae'r farn yn amrywio pan ddaw'n fater o droseddwyr yn elwa o'u troseddau yn anuniongyrchol. Petai Osama Bin Laden yn cael ei ddal a'i ryddhau ymhen blynyddoedd, a fyddai'n iawn iddo gael ei dalu am fod yn ymgynghorydd ar ffilm ynglŷn ag Al Qaeda? A ddylai troseddwyr gael yr hawl i gyhoeddi eu hunangofiant a'u gwerthu?

O bosib, oherwydd i fi dreulio cryn dipyn o amser yn y carchar a heb ddangos unrhyw arwydd o fynd 'nôl at smyglo dôp, penderfynwyd fy mod wedi talu fy nyled i gymdeithas. O ganlyniad, doedd fawr ddim gwrthwynebiad i'm hunangofiant *Mr Nice*. Roedd gan bobol yr hawl i ddewis ei brynu neu beidio. Ond, mae'r

BBC yn cael cryn dipyn o'i incwm trwy arian trwyddedau gan y cyhoedd. Mor bell ag roedd fy stori i'n bod felly, doedd gan y trethdalwyr ddim dewis o gwbl. Roedd yn rhaid iddyn nhw chwyddo fy nghyfri banc wrth i fi dderbyn tâl digon cyfreithlon am rannu fy stori yn torri'r gyfraith. Roedd hyn yn ormod i gydwybod y BBC. Wnaeth y prosiect ddim gweld golau dydd o gwbl.

Roedd yn rhyfedd meddwl bod ffilm a chymaint o botensial yn gorfod gorwedd yn segur yn y BBC. Roeddwn yn dechrau credu na fyddai'r ffilm yn cael ei gwneud o gwbl gan ei bod yn rhy wleidyddol anghywir. Roeddwn wedi treulio cryn dipyn o'm bywyd yn troseddu, ac wedi bod yn y carchar ond am saith mlynedd o'r 25 mlynedd y cefais fy nedfrydu. Dwi'n dal i ennill arian drwy ysgrifennu a siarad am fy nghyfnod fel troseddwr ac yn dal i gael amser braf. Dydyn nhw ddim yn gwneud ffilmiau am bobol fel'na.

Trwy ffrind, roeddwn wedi cyfarfod â Sean Penn. Roedd e wedi dangos diddordeb i wneud ffilm o *Mr Nice*. Dros ginio yn Llundain, roedd yn canmol y llyfr yn fawr iawn. Dywedodd ei fod wedi'i drafod gyda Hunter S. Thompson, Woody Harrelson, a Mick Jagger. Yn dilyn y cyfarfod, ysgrifennodd Sean at y BBC:

Rwy'n ffan mawr o lyfr Howard Marks, *Mr Nice*. Hoffwn gynnig fy ngwasanaeth i hyrwyddo'r syniad o greu ffilm o'r llyfr yn America. Os gwelwch yn dda, derbyniwch y llythyr hwn fel arwydd o'm cefnogaeth i'r holl brosiect. Mae'r cynnig hwn yn cynnwys ymuno â'ch tîm cynhyrchu. Rydw i'n fodlon cymryd rôl ymarferol a gallaf gadarnhau y byddaf yn defnyddio fy mhrofiad, fy nghysylltiadau a'm gwybodaeth er mwyn dod â'r ffilm yma i sylw'r gynulleidfa ryngwladol mae'n ei haeddu.

Yn gywir

Sean Penn

Wnaeth y llythyr ddim argraff o gwbl ar bobol y BBC. Chafodd y llythyr mo'i gydnabod hyd yn oed.

Roeddwn yn hollol sicr erbyn hyn na fyddai'r ffilm yn cael ei gwneud o gwbl. Neu o leia, os byddai'n cael ei gwneud, byddai hynny'n digwydd ar ôl i fi farw. Byddai Rhys Ifans, mwy na thebyg, yn rhy hen i chwarae fy rhan i.

Yn 1997, cefais gynnig gwaith fel colofnydd i *Loaded*. Y lads' mag cyntaf, ac am flynyddoedd lawer yr un mwya llwyddiannus. Fe wnes y gwaith am bum mlynedd. Ar un achlysur, gofynnodd

Loaded i fi ymuno â'r Stereophonics ar daith a gwneud cyfweliad gyda nhw.

O ddarllen am y Stereophonics yn y wasg gerddorol, roeddwn i wedi cael yr argraff eu bod yn dri dyn ifanc cul o'r cymoedd nad oedd yn smygu a mwy na thebyg yn gwrthod yfed. Roeddwn yn credu eu bod wedi dod at ei gilydd er mwyn cyflwyno ambell agwedd ar ddiwylliant Cymru i'r Saeson a phobl estron eraill.

Roedd y Stereophonics wedi camddeall pethau hefyd. Daethon nhw i'r casgliad fy mod o bosib wedi rhoi'r gorau i yfed, fy mod yn hen hipi a oedd wedi gweld dyddiau gwell ac wedi symud o weed i heroin am fod fy ysgyfaint wedi hen rhoi'r gorau iddi. Doedden nhw ddim yn edrych ymlaen at gael eu holi gen i o gwbl. Roedden nhw'n disgwyl cwestiynau diflas am fywyd yn y cymoedd a chael eu holi am beth roedd y groupies yn ei wneud gyda'i gilydd y tu ôl i'r tomennydd tail defaid.

Cwrddes â nhw yn Neuadd De Montfort, Caerlŷr – dinas y caws a'r cyrri. I mewn â Jones – y pum troedfedd chwe modfedd o dân gwyllt.

'Helô, Butt. Fi yw Kelly. Ti wedi gweld y ddau foi 'na sy'n fyrrach na fi? Ma'n rhaid i fi gael pobol fel'na o nghwmpas i drwy'r amser. Ma'n ddigon gwael cael enw merch heb sôn am fod yr un maint â nhw. So, am beth ti ishe siarad 'da ni 'te?'

'O'n i ddim wedi meddwl mor bell â hynny a dweud y gwir, Kelly. Ond falle dylen i ddechrau drwy ofyn ambell gwestiwn. Dywedodd rhywun nad ydych chi erioed wedi bod yn creu cerddoriaeth dawns, fel house neu garage neu big beat. Pam ddim?'

'Howard, pe bydde'n brodyr hŷn ni'n clywed ni'n chwarae'r stwff 'na, bydden nhw'n bango'n penne ni yn erbyn wal. Roedd yn rhaid i ni wrando ar Led Zeppelin nes bod ein clustiau ni'n gwaedu. Doedd dim dewis 'da ni, ond gneud yr un fath â nhw.'

'Pam yr enw Stereophonics?'

'Ar ôl gramoffôn mam-gu Stuart.'

'Beth amdanat ti, Stuart? Beth o't ti'n hoffi gwrando arno ar gramoffôn dy fam-gu?'

''Run peth â nawr, a gweud y gwir. AC/DC, Kiss, Rush, Deep Purple, Lynyrd Skynyrd, Guns & Roses, Led Zeppelin, Credence Clearwater, Y Kinks, Stevie Wonder, Rainbow, Bad Company. Ma nhw i gyd yn grêt. Ni i gyd yn dal i wisgo eu crysau-T.'

I mewn â'r Jones arall wedyn. Dros chwe troedfedd y tro hwn.

'All right, How? Fi yw Richard, fi'n chwarae'r bas.'

Roedd ei datŵs sylweddol yn fy atgoffa o ddynion carchar America. Roedd ei lygaid dwfn yn fy atgoffa o gyfrinydd Thai y treuliais i beth amser gydag e un tro.

'Pa gerddoriaeth oedd yn cadw ti i fynd pan o't ti'n blentyn 'te, Richard?'

'Ma hwnna'n rhwydd. Ska a pync. Yr un peth â nhri brawd hyna.'

Roedd cartre'r Stereophonics, Cwmaman, fel y rhan fwya o gymoedd de Cymru, wedi gwahardd bron unrhyw gerddoriaeth oedd wedi dod mas ar ôl 1979. Roedd diffyg arian yn y gymuned yn golygu nad oedd arian i dalu bandiau. Hefyd roedd diweithdra o dros 50% yn golygu nad oedd arian bws i fynd i weld bandiau newydd. A hefyd, llai o arian i brynu'r 'valley blasters' diweddara. Yr adloniant mewn cymaint o lefydd oedd y jiwc bocs yng nghornel lolfa'r bar. Ma'r rhai sydd ar ôl yn y cymoedd yn berlau hanesyddol!

Byddwn i'n disgwyl y byddai bod yn enwog wedi mynd i bennau'r bois yn llwyr. Ond gyda'r Stereophonics, roedd bod yn enwog wedi'u diflasu'n llwyr. Doedd dim amser ganddyn nhw i selébs a dim amynedd o gwbwl gyda'r rhai oedd yn hongian wrth gynffonnau selébs. Doedd yr hyn a ddaeth yn sgil bod yn enwog ddim wedi gwneud unrhyw argraff arnyn nhw. Yn fwy na hynny, roedden nhw'n gwrthod derbyn unrhyw fantais roedd bod yn enwog yn ei gynnig iddyn nhw. Yn wir, fe wnaethon nhw roi eu seddau arbennig ar gyfer gêm Cymru yn erbyn De Affrica i ffwrdd, er mwyn mynd i eistedd gyda'r bois eraill. Pan fydden nhw'n mynd ar daith, roedden nhw'n ddigon bodlon derbyn bws mawr crand y superstars, ond ar yr amod bod eu teuluoedd a'u ffrindiau yn teithio gyda nhw. Ble bynnag y bydden nhw'n mynd, byddai'r bois yn mynd hefyd. Ac roedd y bois yn gwneud yn siŵr bod eu traed nhw'n aros ar y ddaear.

Ymlaen â'r Stereophonics i'r llwyfan i gymeradwyaeth fyddarol. Rhwbiodd y tri eu poteli lager dair gwaith cyn cyflwyno'r athrylith roc roedd y tri wedi'i dderbyn pan gawson nhw eu geni. Nhw oedd y cam nesa o'r jiwc bocsys. Enghraifft ddynol, llawn bywyd o'r hyn oedd yn arfer sefyll yng nghornel y dafarn. Roedden nhw'n cynhyrchu roc cyffredin eu gwlad. Roedd Richard yn pwmpio'r bas yn grefyddol gan sgwrsio'n hamddenol â Stuart, tra bod Stuart yn drymio'n gynt nag y gallwn i feddwl. Roedd y prif leisydd Kelly Jones – cyn-focsiwr, pêl-droediwr, awdur y geiriau a gitarydd y band – yn rhuo fel daeargryn.

Roedd eu llwyddiant wedi dechrau rhyw ddwy flynedd ynghynt yn 1997. Aethon nhw ar daith o'r enw *Word gets Around*. Roedd pedair o ganeuon y daith wedi cyrraedd y Top 40. Cafodd y band yr enw o fod yn feistri ar gerddoriaeth a geiriau. Rhyw ddau albwm yn ddiweddarach, nhw oedd y band oedd wedi siglo'r byd roc a'i goncro. Nhw oedd yr arwyr dosbarth gweithiol mewn modd na allai'r Beatles na'r Rolling Stones byth fod. Roedd y Beatles yn chwarae i'r dosbarth canol a'r Rolling Stones yn ddosbarth canol.

Rydyn ni wedi perfformio yn sioeau'n gilydd droeon. Ac wedi rhannu sawl noswaith dda o fwynhad cywilyddus! Rhyddhaodd y bois gân amdana i – 'An Audience with Mr Nice', ochr B un o'u hits mwya, 'Mr Writer'.

Fe wnaeth Stuart a Kelly gwympo mas yn go ddrwg ac fe adawodd Stuart y band. Roedd pawb oedd yn nabod y ddau'n ofalus i beidio ag ochri gyda'r naill na'r llall. Ond, mae'r ddau'n ffrindiau eto erbyn hyn, diolch byth. Yn ddirybudd, galwodd Stuart i ngweld pan oeddwn yn aros yng nghartre'r teulu ym Mynydd Cynffig.

'Dere mlân, Ow, ateb y drws 'nei di?'

Llais uchel ac awgrym o acen mwy nag un cwm ynddo wrth iddo anadlu bywyd i mewn i dawelwch cysglyd y stryd lle ces fy ngeni. Fel un, symudodd llenni'r tai gyferbyn. Roedden nhw wedi gweld y cyfan o'r blaen – gangsters, ysbïwyr, plismyn, Rastafarians a dynion o Afghanistan. Ond doedden nhw ddim wedi clywed dim byd tebyg i hwn – Richard Burton yn un glust, Tom Jones yn y llall. Y cyfan yn cael ei gadw mewn balans stereoffonig gan hiwmor gwyllt Cymreig.

'All right, Ow? Shwd mae'n mynd? O'n i'n meddwl na fyddet ti byth yn blydi ateb! Ti'n ffansïo peint? Beth am y dafarn 'na ti wedi dweud wrtha i amdani o'r blaen? Yr un lle ma'r walydd yn siarad Cymraeg yr Oesoedd Canol.'

Felly draw â ni i'r Prince of Wales, Mynydd Cynffig, y dafarn lle ma'r nifer fwya o ysbrydion yng Nghymru, medden nhw. Roeddwn wedi mynd â phob math o selébs i'r dafarn hon. Actorion enwog a modelau digon rhywiol. Doedd dim un ohonyn nhw wedi denu fawr o sylw'r locals – roedden nhw'n gyfarwydd ag ysbrydion, on'd oedden nhw!

Ond pan gerddodd Stuart i mewn, roedd pawb wedi teimlo'n syth ei fod yn un ohonyn nhw. Ymhen dim o amser roedd wedi ymgolli mewn sgwrs gyda nhw.

Pan adawodd Stuart y Stereophonics, dechreuodd ar yrfa hynod lwyddiannus fel cyflwynydd radio a theledu. Roedd ei garisma yn llwyddiant gyda'r rhai roedd yn eu holi. Mae ganddo'r fath o bersonoliaeth sy'n amhosib i beidio â'i hoffi, a'i lais unigryw wedi'i wneud yn ddewis amlwg i nifer o weithgareddau a digwyddiadau elusennol – gwaith mae'n dal i'w wneud.

A beth yw rhan Stuart yn fy mywyd i? Heblaw am fod yn ffrind, mae Stuart yn feistr, yn ddehonglwr ac yn gynrychiolydd perffaith i Wenglish. Tafodiaith sydd wedi'i hanwybyddu er bod iddi ei geirfa unigryw ei hun, a gramadeg cyson hefyd. Ac mae dros filiwn o bobol yn ei siarad yn y Cymoedd.

Dechreuodd Wenglish fel yr iaith gyffredin, y 'lingua franca', yn y cymoedd glofaol pan ddaeth pawb o bedwar ban byd yno i chwilio am waith. Hyd heddi, mae'n parhau fel cyfuniad o oslef Cymraeg, geiriau Saesneg a Chymraeg drwy'r trwch. Cyn i Stuart weithio i Cable TV a Kerrang, doedd Wenglish ddim wedi cyrraedd yr awyr. Petawn i'n gorfod dewis llysgennad dros Gymru, byddai Stuart ar y rhestr fer yn sicr.

CYMRU NAWR

PAN NA FYDDWN YN y carchar, neu mewn rhan anghysbell o'r byd, byddwn yn siarad gyda Mam bob dydd. Dyna oedd fy fix dyddiol o'r Gymraeg hefyd. Dyna'r unig iaith roedden yn ei defnyddio wrth siarad â'n gilydd. Dyma'r cordyn oedd yn fy nghlymu wrth fy ngwreiddiau a fy mhlentyndod. Wedi iddi farw, roeddwn yn teimlo ar goll heb gyfeiriad, ac yn ddigyswllt. Ar fy mhen fy hun. Tan hynny, doeddwn i ddim wedi gwneud cyfweliadau ar y cyfryngau yn Gymraeg. Roedd gormod o Wenglish yn fy iaith a fy niffyg geirfa yn creu cryn embaras i fi.

Ond newidiais fy agwedd. Doeddwn i ddim yn becso dim os oeddwn yn gwneud camgymeriad gramadegol neu'n camdreiglo. Roeddwn i'n becso llai fyth pan fyddwn yn defnyddio geiriau Saesneg. Doedd fy mam byth yn ffwdanu cyfieithu geiriau Saesneg fel submarine neu nuclear physics. Roedd yn defnyddio'r geiriau Saesneg. A doedd neb yn fwy o Gymraes na hi.

Cymerais fantais o bob cyfle posib i dreulio amser gyda phobl oedd â'r Gymraeg yn iaith gynta iddynt. Pobl fel y Super Furries a Rhys Ifans. Roedd siarad yr iaith, a hyd yn oed ei chlywed, yn help i gadw ysbryd fy mam yn fyw. Byddwn yn ymweld â marchnad Abertawe ambell waith, fel byddai hi'n arfer gwneud. Braf oedd gweld y cocos siâp calon a'r bara lawr yn sgleinio mor ddu yno. Roeddwn wrth fy modd yn ymgolli yng nghlebran diddiwedd y menywod oedd newydd gyrraedd yno ar ôl crwydro glannau'r môr ym Mhenclawdd yn hela'r cocos.

Ond roeddwn yn ei chael hi'n anodd iawn delio gyda hyn. Roedd yn anodd dygymod â'r awydd cryf yndda i i siarad Cymraeg, o gofio i fi fod bron â thorri fy mol ishe gadael Cymru yn fy arddegau. Yn bendant, roeddwn yn ailgydio yn fy Nghymreictod ac am gadw ysbryd Cymraeg a Chymreig fy mam yn fyw. Ond doeddwn i ddim am ailgydio yn ei Chymru hi chwaith.

Pan oeddwn yn byw gartre roeddwn yn credu mai'r peth gorau i ddod allan o Gymru oedd yr M4 – neu'r A48 fel roedd hi yn y dyddiau hynny. Dyna'r Gymru gul, amherthnasol a dwl. Roedd y bobol oedd yn byw yn y wlad yn Biwritanaidd, heb syniad o gwbl am hunan-werth a gydag obsesiwn ynglŷn â'r materion mwyaf dibwys. Roedd y wlad yn anobeithiol. Mor amherthnasol. Ddim yn cŵl o gwbl.

Ond, nawr mae'r wlad yn fyw – yn un crochan mawr o dalent cerddorol, o gyfriniaeth a brwdfrydedd. Mae hi gant y cant yn cŵl. Does dim prinder talent na dawn i ddenu sylw'r byd y tu fas. Y sêr roc, y menywod prydferth, y pencampwyr chwaraeon – o focsio hyd at ddartiau. Beth sydd wedi digwydd? Ydi Cymru wedi newid? Neu fi?

Mewn sawl ffordd, yn sicr mae Cymru wedi newid. Diflannodd y pyllau ac mae'r capeli yn eu dilyn yn gyflym. Mae mwy o bobol yn siarad Cymraeg ac ar ben hyn oll, mae datganoli wedi digwydd. Ydi, mae Cymru wedi esblygu i fod yn wlad eitha annibynnol. Falle fod y Cynulliad yn haeddu clod am drawsnewid y wlad, er gwaetha'r mwyafrif bach fu o blaid ei ffurfio.

Ar y llaw arall, un agwedd gref o annibyniaeth yw peidio â theimlo'r angen amdano o gwbl. Paradocs llwyr. Mae'n bosib bod 'na ryw dri rheswm am hyn. Rydyn ni'r Cymru yn ddiasgwrn cefen o wasaidd – gofynnwch i'r Rhufeiniaid – neu'n gwbl anymwybodol o'r hyn sy'n digwydd o'n cwmpas. Dyw hynny ddim yn debygol. Neu efallai ein bod mor hyderus fel cenedl fel nad ydyn ni'n teimlo'r angen i godi stŵr jyst achos bod pethe'n anodd dros dro.

Fe fydd dyddiau drwg yn siŵr o godi eto – wrth i fi ysgrifennu'r geiriau yma, rydyn ni newydd golli gêm rygbi yn erbyn Lloegr yn Twickenham. Ond rydyn ni'n gwybod hynny ac yn nabod ein hunain. Dyw ychydig ganrifoedd dan y Saeson ddim yn mynd i newid unrhyw beth. Mae mynd trwy gaethwasiaeth a charchar yn rhan o'r broses o dyfu.

Falle nad oes unrhyw waed Cymreig yn Nhŷ Windsor, nac yn Hanover chwaith. Ond 500 mlynedd yn ôl roedd y Tuduriaid yn rheoli'r rhan fwyaf o'r byd. Ers amser Taliesin a Myrddin, rydyn ni'n gwbod y bydd y ddraig goch yn lladd y ddraig wen. Fe ddaw ein hamser dro ar ôl tro. Felly, mewn gwirionedd, dyw fy ngwlad ddim wedi newid cymaint â hynny. Ond fy ffordd i o edrych ar fy ngwlad sy wedi newid.

Wrth edrych 'nôl, fe ddaeth y newid pan oeddwn yn y carchar. Fe ddywedodd gangster du ei groen o Chicago, oedd yno am lofruddio plismon, fwy wrtha i am Gymru nag roeddwn i'n ei wybod amdani ar y pryd.

Casglais i fy ngwybodaeth trwy fod yn Gymro a byw yng Nghymru am lawer o flynyddoedd. Casglodd e ei wybodaeth mewn ychydig funudau wrth wrando'n ddamweiniol ar raglen radio FM yn Indiana. Mae'n rhaid i fi ddiolch i Tee-Bone Taylor. Fe oedd y Lucifer wnaeth gynnau fy nhân Gymreig.

Gwnaeth darganfod dylanwad aruthrol y Cymry ar draws y byd godi balchder aruthrol yndda i. Yn enwedig ein dylanwad yng Ngogledd a De America. Diolch byth i lyfrgelloedd y carchardai fod o help yn y broses o gasglu gwybodaeth. Gwnaeth y wybodaeth fi'n falch o fod yn Gymro a ches wared ar yr embaras a deimlwn gynt wrth gael fy ngeni yng Nghymru.

Dwi'n credu hefyd ei fod yn bwysig cofio bod y chwilio am wybodaeth a'r darllen wedi dechrau mewn cyfnod pan oeddwn i'n mynd ar deithiau ysbrydol, trwy ioga a myfyrio. Dyma'r cyfnod pan ddechreuais feddwl mwy am bobol eraill. Roedd fy ngwreiddiau, a oedd dros y lle i gyd, yn dechrau tyfu.

Cryfhaodd y balchder hwn wedi i fi adael y carchar. Fe aeth y gwaith ymchwil â fi i wledydd tramor. I Jamaica i chwilio am gysylltiadau un o'm harwyr, Harri Morgan y môr-leidr a llywodraethwr yr ynys honno yn y Caribî. Yn Nyffryn Chubut fe agorwyd drysau yno a fu ar gau am genedlaethau.

Yn gryfach na hyn oll o safbwynt newid fy syniad o beth yw Cymru, yw'r fendith o gael nabod pobol fel y Super Furries, Rhys Ifans, Stereophonics, Goldie Lookin' Chain, a Dirty Sanchez. Mae rhai o'r rhain wedi bod yn ffrindiau i fi am dros ddeng mlynedd a phob un ohonyn nhw'n gorlifo o dalent, ac yn llawn bywyd a hwyl. Ond mae ganddyn nhw hefyd gariad cadarn, parhaol at eu gwlad a'i phobl. Drwy eu brwdfrydedd a'u dygnwch maen nhw wedi llwyddo i drosglwyddo'r llawenydd a'r hwyl i weddill y byd. Ac ar bob cam o'r daith, maen nhw wedi dangos i bawb ym mhobman yn ddigon clir eu bod nhw'n Gymry. Rydw i mor lwcus i allu rhannu eu hoptimistiaeth, eu hyder, eu balchder a'u hwyl.

Erbyn heddi, rydw i'n dal yn gaeth i'r brwdfrydedd Cymreig mwya heintus. Ychydig llai na dwy flynedd yn ôl, cefais gomisiwn gan fy nghyhoeddwyr i ysgrifennu cyfres o ffuglen yn ymwneud â throsedd. Penderfynais yn syth i leoli'r rhan fwya o'r gyfres yng Nghymru. Fydden i byth wedi ystyried gwneud hynny rai blynyddoedd yn ôl. Y prif gymeriad yw merch sy'n blismon yng Nghaerdydd ac mae'r rhan fwyaf o'r cyffro yn digwydd yn Dinas Head.

Lai na blwyddyn yn ôl, fe wnes i wario cryn dipyn o amser yn y cymoedd yn gwylio *Mr Nice* yn cael ei ffilmio. Do, llwyddwyd yn y diwedd, a Rhys Ifans sydd yn chwarae fy rhan i. Rai misoedd yn unig yn ôl, fe wnaeth y ddau ohonon ni eistedd gyda'n gilydd i weld y fersiwn derfynol – eistedd yn y rhes flaen a dal dwylo'n ddigon nerfus!

Yn ola, a dyma destun y balchder a'r gorfoledd mwya i mi – dwi newydd orffen llyfr yn y Gymraeg a'm henw i sy ar y clawr. Fe fyddai hynny wedi rhoi hyd yn oed mwy o bleser a boddhad i Mam.

Am restr gyflawn o lyfrau'r Lolfa, mynnwch
gopi o'n catalog newydd, rhad
neu hwyliwch i mewn i'n gwefan

www.ylolfa.com

lle gallwch archebu llyfrau ar lein.

TALYBONT CEREDIGION CYMRU SY24 5HE
ebost ylolfa@ylolfa.com
gwefan www.ylolfa.com
ffôn 01970 832 304
ffacs 832 782